Christiane Eluère
est conservateur
en chef des musées
nationaux. Elle partage,
au musée des
Antiquités nationales à
Saint-Germain-en-
Laye, la responsabilité
des collections de
protohistoire. En 1987,
elle a participé à
l'organisation de
l'exposition «Trésors
des princes celtes».
Elle a publié, en 1982,
Les Ors préhistoriques,
aux éditions Picard, en
1987, *L'Or des Celtes*,
et, en 1990, *Les
Secrets de l'or antique*,
tous deux à La
Bibliothèque des Arts.

*1er dépôt légal: octobre 1992
Dépôt légal: octobre 1994
Numéro d'édition: 68421
ISBN: 2-07-053171-6
Imprimé en Italie
par Editoriale Libraria*

L'EUROPE DES CELTES

Christiane Eluère

DÉCOUVERTES GALLIMARD
RÉUNION DES MUSÉES NATIONAUX
HISTOIRE

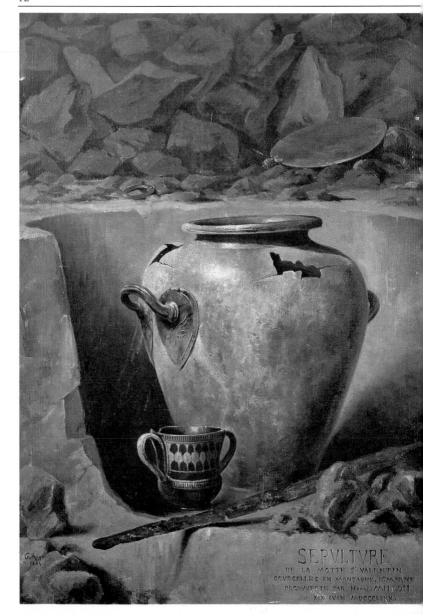

SEPVLTVRE
DE LA MOTTE S¹ VALENTIN
COVRCELLES EN MONTAGNE, H™ MARNE
DECOVVERTE PAR Henri MILLON
XIX IVIN MDCCCLXXX

Dans le fracas des premiers temps historiques, au crépuscule de l'âge du bronze, des cavaliers à longues épées, ancêtres des Celtes, inventent une nouvelle forme de pouvoir. Entre 900 et 600 av. J.-C., de Hallstatt à La Tène, émerge une civilisation. L'un de ses premiers enjeux sera la maîtrise du fer dont sont forgées les armes, si précieuses que ces guerriers les emportent jusque dans la tombe.

CHAPITRE PREMIER
NAISSANCE D'UNE
ARISTOCRATIE GUERRIÈRE

Dans les tombes des princes celtes, les signes de richesse et de raffinement foisonnent. Témoins le stamnos étrusque et le canthare attique du tumulus de La Motte-Saint-Valentin (à gauche), ou ce curieux petit buste de bronze, découvert à Hallstatt, qui porte une cuirasse et deux gros bracelets.

En 1771, un chaudron de bronze, rempli de trente kilos de monnaies et d'un torque en or, est mis au jour à Podmokoly, en Bohême, attirant l'attention d'un certain nombre d'érudits. Tandis que toute l'Europe préromantique se passionne pour la légende d'Ossian, barde écossais du IIIe siècle de notre ère exhumé par le poète James Macpherson, c'est au travers de la numismatique que commence à se structurer, au XVIIIe siècle, le regain d'intérêt pour les Celtes.

L'archéologie naissante constitue, au XIXe siècle, la source principale de leur connaissance, et fait apparaître un passé celtique commun liant différentes régions de l'Europe, des îles Britanniques jusqu'aux Carpates. Aussi nombreux et précis soient-ils, les textes antiques cèdent alors le pas devant l'abondance d'informations livrées par le terrain.

L e chaudron de cuivre de Podmokoly (ci-dessus), mis en scène sur une gravure exécutée l'année de sa découverte, entouré de quelques monnaies du trésor. Il est ici représenté au milieu du grand torque, collier rigide, parure typique des guerriers et des dieux celtes.

Les archéologues du XIXe siècle découvrent les tombes celtiques

Dès 1824, de premiers indices révèlent à Hallstatt, en haute Autriche, l'existence d'une importante nécropole datant de l'âge du fer; d'antiques mines de sel y avaient déjà été repérées au XIVe siècle. Puis, en 1853, des fouilles près du lac de Neuchâtel, en Suisse, permettent la découverte à La Tène de masses d'armes et de parures. Hallstatt et La Tène deviendront rapidement des

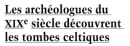

P armi les premières découvertes de l'archéologie celtique, le pilier cultuel en grès de Pfalzfeld (Rhénanie) fut mis au jour en 1608. Il était, à l'origine, surmonté d'une tête, et sa hauteur devait atteindre 2,50 m. Mais, resté sans protection jusqu'en 1934, il ne mesure plus aujourd'hui que 1,48 m. Il est daté entre −450 et −350, et couronnait probablement alors le sommet d'un tumulus.

«sites éponymes», c'est-à-dire qu'on utilisera leur nom pour désigner, respectivement, le premier et le second âge du fer.

A la fin du siècle, de nombreux tertres funéraires sont explorés tant en Allemagne du Sud, en Suisse, que dans l'est de la France. Et tous ont un air de famille... Pendant ce temps, l'archéologue allemand Schliemann, parti en Grèce sur les traces d'Homère, découvre le trésor de Mycènes et ses six tombes à fosse groupées en cercle. Au sud-est de Rome, à Préneste, est mis au jour le riche tombeau étrusque dit des Bernardini... Le concept de tombe «princière» protohistorique et, avec lui, l'idée d'une évolution parallèle des sociétés de l'âge du fer, qu'elles soient italiques ou centre-européennes, s'imposent alors comme des évidences.

Hallstatt, en haute Autriche, est un petit centre totalement isolé au cœur du massif du Salzkammergut; on n'y accède que par voie d'eau. Le climat y est rude, peu ensoleillé. Cependant le site fut intensément fréquenté du VIIe au Ve siècle av. J.-C., sans doute à cause de l'exploitation de son sel. Là, se sont trouvées réunies toutes les conditions favorables à l'épanouissement d'une nouvelle civilisation, et à la conservation de ses traces, puisqu'on a pu fouiller 2 000 tombes dans cette formidable nécropole des Celtes anciens.

La Tène, située sur un ancien bras de la rivière Thielle, au bord du lac de Neuchâtel, était autrefois un important lieu de passage. En 1857, un pêcheur y découvrit de bien curieux objets de fer. L'exceptionnelle quantité d'armes mises au jour depuis lors a autorisé les archéologues à considérer le site comme représentatif de la période de pleine expansion des Celtes. Champ de bataille, marché ou sanctuaire? Les campagnes de fouille qui s'y sont succédées n'ont pas permis d'estimer le rôle précis, au second âge du fer, de ce petit centre aujourd'hui recouvert par un camping.

L'investigation contemporaine

T umulus du premier âge du fer, surmonté d'une statue en grès, à Kilchberg (Bade-Wurtemberg).

La fouille des sépultures celtiques se poursuit au XXᵉ siècle, et continue d'engendrer des découvertes sensationnelles. Celle de la tombe de Vix, en Côte-d'Or, avec son énorme cratère grec en bronze, constitua, en 1953, un véritable événement dans l'archéologie mondiale. Plus récemment, en 1978, le tumulus de Hochdorf, minutieusement fouillé et étudié en laboratoire, a livré de précieux renseignements sur le niveau de vie de son occupant.

Une nouvelle vague de fouilles permet de connaître les habitats : La Heuneburg, site fortifié sur la rive occidentale du Danube ; l'oppidum de Manching en Bavière ; le mont Beuvray, dans la Nièvre. L'étude se tourne vers les sanctuaires, à Entremont et Roquepertuse dans le Midi, Gournay-sur-Aronde dans l'Oise, Fellbach-Schmiden dans le Wurtemberg et Snettisham dans le Norfolk.

Des investigations en laboratoire apportent leur contribution : la dendrochronologie (méthode de datation par l'observation des cernes du bois), l'étude des tissus, des métaux, des substances organiques, des macro et microrestes.

Protohistoire et «champs d'urnes»

L'âge du bronze et l'âge du fer constituent ce que l'on nomme la protohistoire, ou encore le temps contemporain de l'Antiquité classique. Ces appellations, commodes puisqu'elles se réfèrent à l'évolution technologique des sociétés, ont été données au XIXe siècle d'après l'observation du matériel et de ses tendances dominantes. Les théories d'alors évoquaient une rupture brutale entre les deux périodes. On considère aujourd'hui que le passage de l'une à l'autre, que l'on situe dans nos régions aux environs du VIIIe siècle av. J.-C., est intervenu progressivement et d'une manière très nuancée selon les communautés.

De même, la fameuse théorie des «champs d'urnes» (liée à la pratique de l'incinération), qui présentait des proto-Celtes, envahisseurs venus de l'Est entre les XIIIe et VIIIe siècles av. J.-C., est désormais abandonnée. Sans vouloir leur attribuer une filiation précise jusqu'au néolithique, il est maintenant admis qu'ils descendent de populations déjà installées en Europe à l'âge du bronze.

Aux XIIIe et XIIe siècles av. J.-C., quelques tombes du Bronze final annoncent déjà ce que seront les funérailles grandioses des premiers princes celtes. Au XIe siècle, des objets de parade en bronze apparaissent ostensiblement destinés aux offrandes sacrées : c'est le cas des cuirasses de Fillinges, en Savoie, et de Marmesse, en Haute-Marne, ainsi que de roues, de boucliers et de casques disséminés dans diverses régions de l'Europe.

Au crépuscule de l'âge du bronze

Entre les IXe et VIIIe siècles, époque charnière, les villages de l'Europe tempérée manifestent souvent un net

D eux à trois siècles avant l'époque des princes, on voit déjà apparaître les symboles de prestige annonçant les fastes du VIe siècle av. J.-C. : le char à quatre roues sur l'urne funéraire de Sublaines (Indre-et-Loire), les cuirasses de parade déposées en offrande à Marmesse (Haute-Marne). D'autres objets, tel ce grand pectoral trouvé dans une forêt du Jura, avec l'oiseau et les rouelles, allient les motifs traditionnels de l'âge du bronze à l'exubérance des bijoux celtiques.

souci de défense : ils peuvent être dotés de palissades comme à Choisy-au-Bac, dans l'Oise, ou cernés par des enceintes fortifiées (Catenoy dans l'Oise encore, Hohlandsberg dans le Haut-Rhin). Les villages littoraux des lacs français et suisses, jusque-là prospères, disparaissent en l'espace de quelques années, autour de −850 ; de nombreux indices semblent accréditer la thèse d'incendies criminels. Cette atmosphère d'insécurité se traduit aussi par la brusque augmentation de l'habitat en grottes à relativement haute altitude.

Simultanément le climat se dégrade : il devient plus frais et plus humide ; cette tendance ira s'accentuant jusqu'au VIᵉ siècle. Les réseaux commerciaux se raréfient pour des raisons inconnues ; les productions s'en ressentent. L'orfèvrerie, si abondante auparavant, s'étiole. Les bronzes eux-mêmes sont récupérés avec soin par les métallurgistes ou par les responsables de communautés, qui les enfouissent dans des cachettes. Il y a crise économique, ou crise de société.

Une petite figurine moulée en bronze orne cette hache de parade trouvée à Hallstatt (photo et aquarelle). Cavaliers et bovidés font partie, au VIIᵉ siècle av. J.-C. des thèmes décoratifs privilégiés de cette dynamique région d'Europe centrale, au carrefour des influences venues des différents versants des Alpes.

La nouvelle caste des cavaliers

C'est alors qu'apparaissent les premières manifestations d'un ordre jusque-là inconnu : celui des cavaliers à la longue épée. On les retrouve sporadiquement, entourés de rites et accompagnés d'objets – le service à boisson, les produits exotiques

importés, la tombe à char, enfin l'or – qui préfigurent déjà les symboles de la nouvelle classe dirigeante.

Le cheval monté est l'une de ces innovations qui distinguent les participants au pouvoir. Dans la nécropole de Chavéria (Jura), près d'une vingtaine de tumulus ont été fouillés, dont cinq ont livré une longue épée dite hallstattienne, bien de prestige assorti, selon les tombes, d'éléments de harnachement ou d'un bassin à bord perlé en bronze, étrangement proche de ceux produits au VIIIe siècle par la culture de Villanova en Italie du Nord.

En 1987, la fabuleuse découverte d'une tombe sous le tumulus Géraud, de Saint-Romain-de-Jalionas, fournit des informations capitales pour les IXe et

Provenant d'une tombe de guerrier datée vers – 400 à Hallstatt, ce fourreau d'épée décoré démontre l'importance du statut de cavalier. Une frise centrale comporte trois fantassins avec leur bouclier, suivis de quatre guerriers sur leur monture, armés d'une lance, portant cuirasse ou justau corps, et une jupette qui couvre des sortes de pantalons. Leurs chaussures ont le bout

VIIIe siècles : des objets traditionnels encore en usage s'adaptent à des rites nouveaux, si proches déjà de ceux du VIe siècle ! Le guerrier est inhumé sans char, mais avec sa longue épée en bronze, ses parures en or et un service à boisson, en bronze également, tous ustensiles jusqu'alors plutôt réservés aux offrandes ou que l'on retrouve plus souvent (à des fins religieuses ou de thésaurisation?) dans les cachettes du bronze final.

relevé ; un casque protège leur tête. De part et d'autre, deux lutteurs tiennent une roue, traditionnel symbole de prospérité. A la pointe du fourreau figure une scène érotique où se mêlent humains et animaux.

Les longues épées dans les cimetières

Succédant aux modèles de bronze, les armes à lames de fer auraient été l'apanage des cavaliers ou des éminents guerriers du VIIe siècle av. J.-C. Plusieurs d'entre elles, trouvées dans le cimetière de Hallstatt, confirment leur caractère de privilège, avec des pommeaux revêtus de feuilles d'or, ou sculptés dans de l'ivoire et incrustés d'ambre, ornement que l'on retrouve sur les épées de Chaffois (Doubs) et de Marinville-sur-Madon (Vosges).

Vers la fin du VIIIe siècle et au début du VIIe, des vaisselles de bronze accompagnent fréquemment les épées, comme dans les sépultures de Magny-Lambert et de Poiseul (Côte-d'Or). A la fin du VIIe siècle, c'est plutôt le char qu'on trouve associé à la vaisselle de bronze (La Côte-Saint-André, Isère).

Le Jura constitue avec la Bourgogne la limite sud-ouest du monde du premier âge du fer naissant, quoique quelques prolongements aient pu être identifiés vers l'ouest, dans les tombes des environs de Bourges et celle de Sublaines (Indre-et-Loire). Plus à l'est, en particulier dans la région des mines de sel de Hallstatt, d'autres foyers culturels amorcent simultanément une évolution économique et sociale dont le rayonnement sera décisif.

Les seigneurs de l'or blanc

Dans la nécropole de Hallstatt, qui a donné son nom au premier âge du fer (du milieu du VIIIe à la fin du VIe siècle), la plupart des deux mille tombes fouillées

Ce seau cylindrique, de près de 35 cm de hauteur, provient de Magny-Lambert (Côte-d'Or). Décoré de bourrelets circulaires obtenus par emboutissage, il s'agit d'une ciste à cordons, une de ces vaisselles de bronze que l'on trouve tant au nord des Alpes qu'en Italie dès le VIIIe siècle av. J.-C.

Matériel des tombes de Hallstatt, les épées à grande lame de fer du VIIe siècle av. J.-C. (ci-contre, à droite) imitent les lames de bronze. Leur poignée en matière organique est souvent rehaussée d'éléments précieux : ivoire, ambre ou or.

Des fibules à double spirale attachaient, au VIIe siècle av. J.-C., les vêtements des riches Hallstattiennes.

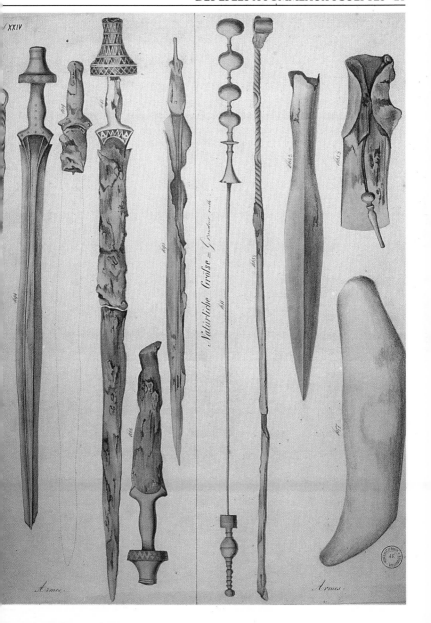

datent des VIIe et VIe siècles av. J.-C. Les inhumations y sont légèrement plus nombreuses que les incinérations, mais celles-ci comportent en général les mobiliers les plus riches.

Les tombes de guerrier ne représentent qu'environ un quart du cimetière, et seulement dix-neuf d'entre elles, des VIIIe et VIIe siècles, livrent de grandes épées et des haches de parade. Plus nombreuses, les tombes du VIe siècle contenaient des poignards à antennes. Les tombes féminines offrent de nombreuses parures cliquetantes, des fibules volumineuses, typiques du goût exubérant de l'époque. Les sépultures riches possèdent très souvent d'impressionnants services de vaisselle de bronze constitués de seaux, situles (seaux aux bords refermés), bassins et tasses.

On imagine que Hallstatt a pu être un pôle de ralliement bien organisé : de la main-d'œuvre est venue de différentes régions ; en dehors des mineurs mêmes et de leurs chefs, des bûcherons et des charpentiers collaboraient à l'édification de la mine ; de riches familles de négociants, des colporteurs et des groupes chargés de la défense de la communauté complétaient ce nouveau modèle de société tournée vers l'extérieur, au contact de plusieurs sphères culturelles.

Un merveilleux conservateur : le sel

Lié au mode de vie sédentaire et au commerce à longue distance, le sel est une richesse nouvelle. Il conditionne la conservation des aliments, sa consommation fortifie les animaux. La crête nord des Alpes en est particulièrement riche. Le préfixe *Hall*, synonyme d'origine celtique de l'allemand *Salz* (sel), désigne dans la région ces sites d'exploitation très ancienne (Hallstatt, Hallein, Hall, Reichenhall, Schwäbisch Hall, etc.).

Après avoir traité par dessiccation les eaux salées des sources naturelles, les Hallstattiens ont développé, entre le VIIIe et le VIe siècle, le premier et le plus grand centre d'extraction minière du sel gemme. Dès 1311 apr. J.-C., on appelle ce lieu Heidengebirge, la

Quelques pièces de vêtements ayant appartenu à des mineurs de Hallein (province de Salzbourg) ont été retrouvées dans un état d'exceptionnelle conservation due au sel environnant. C'est le cas de la chaussure ci-dessous, ou encore de bonnets de cuirs, constitués eux aussi de pièces de veau soigneusement cousues, la fourrure tournée vers l'intérieur.

«montagne des païens», en référence aux traces d'une époque très reculée qu'on y a déjà détecté... Car le sel conserve admirablement les vestiges organiques. Des éléments de vêtements, des ustensiles de mineurs protohistoriques nous sont parvenus, notamment des sacs à dos en cuir pour remonter les blocs de sel, retrouvés en 1889, 1939 et 1985. Vers – 600, une autre grande mine de sel s'ouvre, non loin de Hallstatt à Hallein, sur la rive ouest de la Salzach, qui offre des débouchés plus faciles. Vient alors le déclin de Hallstatt : à partir du Ve siècle les tombes y sont moins nombreuses et moins riches.

Le cadre de l'action est désormais fixé : elle va se dérouler dans un territoire compris entre l'est de la France et l'Autriche. Son enjeu : gagner les marchés avec le sud des Alpes.

Éprise du cimetière de Hallstatt, la grande duchesse de Mecklenburg obtint de l'empereur François-Joseph l'autorisation d'y pratiquer des fouilles. On la voit ci-dessous à l'assaut d'une tombe, en 1907, entourée de ses auxiliaires, plus cantonniers qu'archéologues.

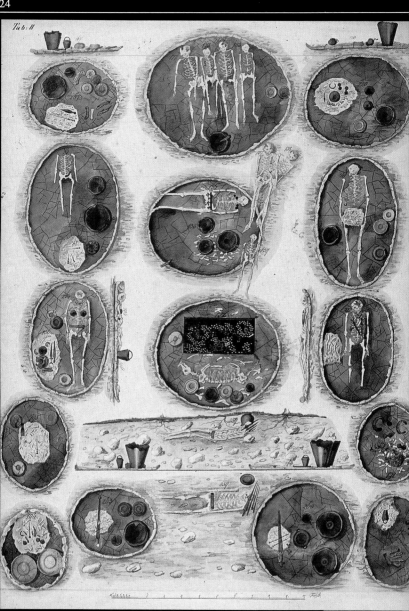

Tab. II.

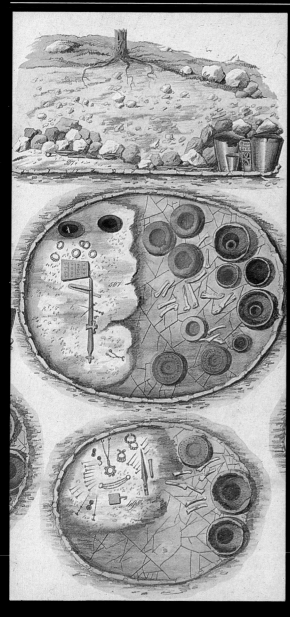

Un grand fouilleur devant l'éternel

La nécropole de Hallstatt a constitué un véritable terrain d'aventures pour Georg Ramsauer, un employé des mines qui y entreprit des fouilles à partir de 1846. Pendant les dix-sept ans qu'elles durèrent, il explora 980 tombes, dont il exhuma en tout 19 497 objets. Il consignait toutes ses observations sur des lettres ou des carnets, les illustrant d'aquarelles de son ami Isidor Engel. L'empereur François-Joseph et l'impératrice Elisabeth en personnes assistèrent à l'ouverture de la tombe 507 (ci-contre), en octobre 1856. Ramsauer, qui n'avait pas de réelle formation d'archéologue, reçut des conseils du musée de Linz, puis du Cabinet d'antiques de Vienne. Avec ses vingt-quatre enfants, il connaissait parfois des fins de mois difficiles, d'autant qu'il devait souvent faire l'avance des frais de fouille. Bien qu'il ait préservé la majorité du matériel recueilli, il dut arriver que quelques pièces soient vendues, par lui-même, sa femme ou ses compagnons, à des touristes fortunés de passage. Ceci explique qu'aujourd'hui des objets de Hallstatt puissent être retrouvés dans le monde entier.

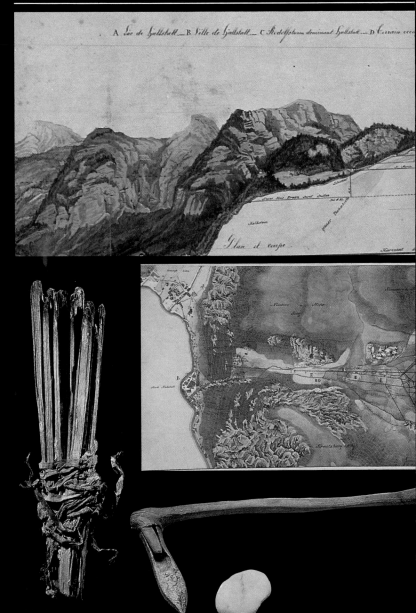

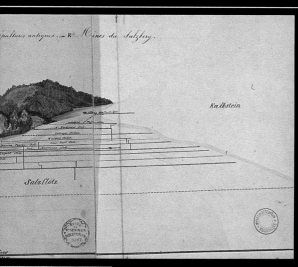

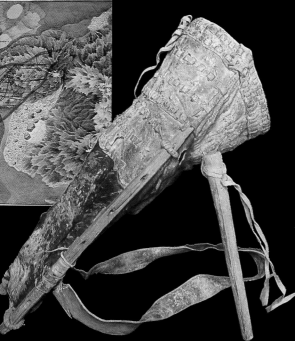

Sur les chemins du sel

Les galeries souterraines de la mine de Hallstatt, dont certaines auraient déjà été aménagées à l'époque du bronze final (c'est-à-dire vers les Xe-IXe siècles), sont creusées à partir du flanc de la montagne, pour suivre les veines de sel, et comprennent de nombreuses ramifications. Elles s'étendent au total sur 3 750 m de longueur et une surface de 30 000 m². La plus importante d'entre elles atteint une profondeur de 215 m. Des techniques d'aménagement similaires auraient déjà été mises en œuvre à l'âge du bronze dans les mines de cuivre du Mitterberg. Nombreux sont les vestiges d'outils que le sel a conservés dans les galeries de mine : des pics pour entamer la roche, des sacs à dos pour remonter les blocs de sel à la surface, des baquets de bois pour transporter l'eau ou la nourriture, des sortes de torches ou d'allumettes, longues tiges de résineux que les mineurs, pense-t-on, maintenaient entre leurs dents pour s'éclairer lors du travail dans les galeries.

Au VIe siècle av. J.-C., de la Bourgogne à l'Autriche, les Celtes anciens s'établissent en riches bourgades dirigées par des dynasties unies. Là s'élabore une culture originale, ouverte au monde méditerranéen. Le goût de l'hydromel, puis du vin venu de Grèce ou d'Etrurie, inspire orfèvres et artisans, qui célèbrent les héros hissés au rang de dieux.

CHAPITRE II
LA SPLENDEUR DES PREMIERS PRINCES CELTES

Lutteur dansant, sur la banquette en bronze du prince de Hochdorf, ou statue ithyphallique en grès, grandeur nature, plantée sur le tumulus de Hirschlanden, le thème du guerrier héroïsé est omniprésent dans les sépultures celtes. Le chapeau conique, le collier d'or, le ceinturon et le poignard sont ses attributs spécifiques. On les retrouve autant dans le mobilier funéraire que sur les représentations emblématiques.

Autour de l'an 600 av. J.-C., les Phocéens, des Grecs
installés depuis le Xe siècle av. J.-C. en Asie Mineure,
fondent Massalia (Marseille), point d'ancrage d'une
colonisation littorale. Au même moment le premier
foyer culturel celtique se met en place à l'intérieur
d'un vaste territoire situé dans l'ouest de l'Europe
centrale : pendant tout le VIe siècle av. J.-C., il se
distingue par son opulence, sa société brillante régie
par un pouvoir princier et reposant sur le clan, et par
le dynamisme de sa culture. De la Bourgogne jusqu'à
l'Autriche, ces groupes partagent une organisation
homogène. Les personnages les plus importants sont
les princes, qui se font enterrer, parés de colliers d'or,
dans des tombes à char enfouies sous un volumineux
tertre funéraire.

Ils étaient déjà connus des Grecs; Hécatée de Milet,
géographe et écrivain ionien d'Asie Mineure,
mentionne pour la première fois au VIe siècle av. J.-C.
le nom des Celtes, voisins des Ligures, donc établis au
nord de la Provence. Hérodote, au siècle suivant, les
évoque à deux reprises et les situe autour du Danube
et au-delà des colonnes d'Hercule (Gibraltar).

De riches citadelles au nord des Alpes

L'implantation de cette nouvelle société se marque
par l'établissement de citadelles, sur des hauteurs
dominant de vastes étendues. Parmi les plus
importantes, une douzaine furent vraisemblablement
les résidences de princes ou de chefs territoriaux, qui
jouèrent un rôle clé non seulement dans l'économie
et la politique de leur fief, mais aussi dans la
constitution d'une puissante fédération de
communautés organisées sur le même modèle, en

Le Hohenasperg dans
toute sa majesté :
une éminence qui
domine un vaste
paysage (à gauche).
A ses pieds des princes
celtes se sont fait
inhumer dans treize
tumulus implantés
dans un rayon de 25 km.
Il a peut-être été le lieu
de résidence du prince
de Hochdorf.

Bylany

Závist

Würzburg

Hohen Asperg
Hochdorf
Bad Cannstatt
Les Jogasses   Hirschlanden
Hochmichele
Heuneburg
Dürrnberg
Magdalenenberg   Vilsingen   Hallstatt
Vix
Camp
du Château   Ins
Bourges   Chassey   Grächwill
Bragny   Châtillon sur Glâne

Como

Golasecca   Adria
Mantua
Spina
Le Pègue   Felsina

Massalia

Roma

Allemagne du Sud, en Suisse, dans l'est de la France. A noter, parmi les plus célèbres, le Hohenasperg au nord de Suttgart, la Heuneburg, au-dessus de la vallée du Danube, non loin de Sigmaringen, Utliberg, près de Zurich, Châtillon-sur-Glâne, près de Fribourg, ainsi qu'en France Britzgyberg, près d'Illfurth (Haut-Rhin), Saxon-Sion

Les centres aristocratiques et économiques des Celtes s'étendent dans l'ouest de l'Europe centrale dès le VIᵉ siècle av. J.-C. Les amphores qu'on y retrouve attestent le commerce d'huile et de vin qui s'épanouit alors, empruntant l'axe alpin, ou celui du Rhône et de la Saône.

(Vosges), le mont Lassois (Côte-d'Or), Gray-sur-Saône (Haute-Saône), le camp du Château à Salins-les-Bains (Doubs), et quelques autres...

En plaine, d'autres sites plus récemment découverts ont livré des vestiges identiques à ceux fournis par les citadelles, notamment des importations d'origine méditerranéenne. Il s'agit vraisemblablement d'entrepôts, comme à Bragny-sur-Loire (Saône-et-Loire), ou d'autres formes d'habitat princier, comme à Bourges, où plusieurs tombes avec vaisselle de bronze importée ont été découvertes au siècle dernier.

Quelques aspects de cette civilisation du premier âge du fer sont spectaculaires : une profusion nouvelle de produits exotiques importés du Sud, un rituel complexe et solennel dans la pompe des funérailles, une forte personnalisation du pouvoir dynastique. Cependant les palais de ces princes nous restent mal connus, car les citadelles fouillées n'en ont pas livré. Quelques indices attendent encore confirmation ; ainsi au Wittnauerhorn, en Suisse, deux maisons centrales plus grandes que les autres pourraient avoir été la résidence des maîtres ; à la base de l'un des tumulus de Giessübel-Talhau, non loin de la Heuneburg, le plan d'une vaste demeure aurait été reconnu.

La Heuneburg : une architecture sous influence

De ces citadelles, la Heuneburg a été la plus largement fouillée. Son rempart, reconstruit plusieurs fois, comporte des éléments étonnants : un mur de 4 mètres de haut, édifié en briques crues séchées sur une base de pierre, est muni de tours en saillie, architecture totalement inhabituelle au nord des Alpes, mais bien connue dans le monde méditerranéen (par exemple à Gela, en Sicile). Faut-il y voir l'œuvre d'un

L'hydrie est un récipient destiné à contenir l'eau qu'on mélangera au vin concentré. Celle ci-dessous, retrouvée à Grächwill, non loin de Berne, provient vraisemblablement d'une colonie de Sparte, et fut fabriquée vers – 570 . On présume qu'elle avait contenu la boisson des funérailles. Sur son col, la représentation de la maîtresse ailée des animaux rappelle les symboles de fécondité et d'immortalité de l'Orient ancien, voire l'Artémis des Grecs.

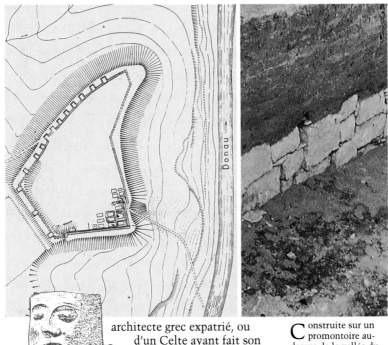

architecte grec expatrié, ou d'un Celte ayant fait son apprentissage au sud des Alpes? A l'intérieur du bourg, des maisons se répartissent le long des ruelles; à l'extérieur, une agglomération entoure cette sorte d'acropole.

De nombreux tessons de céramique à figures noires et rouges voisinent avec des amphores grecques ou des productions étrusques. L'artisanat local paraît brillant. Non seulement les potiers de la Heuneburg possèdent un véritable tour à rotation rapide, mais les métallurgistes sont capables de reproduire ou de réparer des produits d'importation, comme en témoigne le moule en argile d'une attache d'œnochoé (cruche à vin) étrusque trouvée sur le site! Assimilation des techniques ou apports de main-d'œuvre étrangère?

Construite sur un promontoire au-dessus de la vallée du Danube, la forteresse de la Heuneburg est entourée par onze tumulus, à 5 km à la ronde. Avec ses tours carrées et ses 600 m de mur en briques crues érigés au VIe siècle sur un soubassement calcaire – technique spécifiquement méditerranéenne –, elle pose la question de la circulation des artisans à l'époque. De même le curieux moule d'attache d'œnochoé qu'on y a retrouvé : de fabrication locale, il porte une tête de Silène, motif que les Etrusques affectionnent sur leurs vases à vin.

Des funérailles dignes de rois

Le plus grand tumulus de cette époque est celui du Magdalenenberg, près de l'habitat du Kapf, en Forêt-Noire, terre riche en minerai de fer. Il mesure plus de 100 mètres de diamètre et attire très tôt les convoitises – tout comme le Hohmichele, le plus ancien tumulus qu'on attribue au fondateur de la Heuneburg. Les tombes sont pillées quelques années après les funérailles : au Magdalenenberg, l'analyse dendrochronologique de la paroi de la chambre funéraire date l'aménagement de la sépulture à –550 ; elle a été éventrée en –504, ainsi que le révèle l'examen des bois des outils abandonnés sur place par leurs propriétaires indélicats. Généralement la tombe primaire, au centre, est celle du prince. Vaste chambre funéraire construite en rondins, elle est entourée de tombes secondaires – vraisemblablement celles des proches ou de la famille –, aménagées pendant une ou deux générations.

Sacrifiée, l'épouse du défunt partage sa sépulture : ce rite a été observé à Hohmichele (Allemagne du Sud), et le dessin ci-dessous est une reconstitution d'après l'emplacement du mobilier de la tombe au moment de sa découverte. La femme gisait sous les roues du char, l'homme était allongé à côté ; peut-être la caisse du char avait été démontée et lui avait servi de couche.

Conçu pour avancer lentement et surtout en ligne droite, le char funéraire des princes celtes ne possédait pas de timon directionnel. L'analyse des bois de plusieurs spécimens révèle que les essences étaient soigneusement choisies selon les pièces.

La présence d'un char funéraire constitue la plus grande originalité de ces tombes princières. Véhicule à quatre roues, c'est un char de parade fait pour circuler lentement. Servait-il seulement pour les funérailles ou également à l'occasion de processions, du vivant du prince ? Curieusement, les roues de certains chars étaient démontées et rangées le long de la paroi

de la chambre funéraire. On a longtemps imaginé que les modèles de ces chars hallstattiens venaient d'Italie. Mais malgré des similitudes dans le rite, les fabrications sont dissemblables ; d'autre part, chars cultuels ou roues symboliques font depuis plusieurs générations partie des pratiques religieuses au nord des Alpes. Le char rituel semble donc bien issu des anciennes croyances locales de l'âge du bronze. Parfois accompagné dans la mort par une épouse sacrifiée, le défunt est paré de ses ornements personnels et des attributs de son pouvoir.

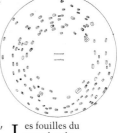

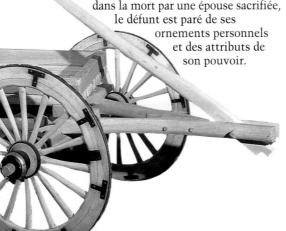

Les fouilles du tumulus de Kaltbrunn (ci-dessus) furent menées sur les ordres du grand duc Frédéric de Bade en 1864. En dessous figure le plan type des tumulus de l'âge du fer, sortes de «caveaux de famille» ou plutôt «de tribu» : au centre, la sépulture du prince ; les tombes secondaires s'ajoutent à la périphérie, jusqu'à ce que, l'histoire ayant porté au pouvoir une autre famille, une autre tribu, un autre tumulus soit alors mis en service.

Les révélations du prince de Hochdorf

Dans le village de Hochdorf, à quelques kilomètres de Stuttgart, la fouille minutieuse d'une tombe princière a permis de dégager de précieuses informations. L'intérieur de la chambre funéraire, en rondins de chêne, mesure 4,7 mètres de côté. Des tentures sont étalées au sol et sur les parois, accrochées à l'aide de pitons en fer et réunies par des fibules.

Le prince, âgé d'une quarantaine d'années, présente une haute stature pour son époque (1,87 mètre). Inhumé entre –540 et –520 avec des offrandes particulièrement riches dues à son importance, il est allongé, exceptionnellement, non pas sur son char mais sur une litière en tôle de bronze supportée par des roulettes. Des fibules en bronze et en or retiennent son vêtement; il porte un

On a remarqué que nombre de tombes princières contenaient des personnages dont la stature dépassait la moyenne de celle de leurs contemporains. Le prince de Hochdorf était ainsi de grande taille; son crâne présentait un volume important, avec un visage haut et large. Si la cause de son décès, à un âge relativement avancé pour son époque, n'a pu être déterminée, on a toutefois observé qu'il devait souffrir d'arthritisme. Les chausses en cuir du prince ont été, au moment des funérailles, recouvertes de feuilles d'or estampées. Il s'agissait de sortes de bottines, montant jusqu'à la cheville et probablement relevées à l'extrémité.

chapeau en écorce de bouleau
soigneusement cousu, et autour
du cou, outre le collier d'or, des
perles d'ambre et un petit sac contenant
son nécessaire de toilette (coupe-ongles,
rasoir, peigne, trois hameçons). Un
brassard en or enserre son poignet droit.
Pour rehausser son prestige, des feuilles
d'or, façonnées à la hâte par un orfèvre
après le décès du prince, recouvrent la
poignée et le fourreau de son poignard,
sa plaque de ceinture, et même ses
chaussures en cuir...

La partie centrale de la chambre est
vide. La banquette du mort est garnie
d'étoffes, de fourrures, de poils de
blaireau, de filasse de chanvre, de
plumes d'oiseau, de fleurs et de
brindilles, qui constituaient à l'origine
un épais rembourrage. Sous la tête du
prince, un coussin jadis frais et odorant,
de brins d'herbes tissés et nattés. L'édification
du monument, le tissage de la litière et le travail
d'orfèvrerie, commandés spécialement pour

La dépouille du prince
de Hochdorf était, à sa
découverte, allongée
sur cette kliné,
banquette en bronze
de 2,75 m de long.
Exceptionnels au nord
des Alpes, de tels
meubles figurent
fréquemment sur les
situles d'Italie : les
princes s'y étendent,
ou les musiciens s'y
assoient pour jouer de
la harpe et de la flûte.
Celui-ci est décoré de
scènes de luttes et de
procession du héros
sur son char, exécutées
au repoussé sur la tôle.
Les petites danseuses
en bronze moulé,
montées sur roulettes
et qui supportent
la banquette, sont
incrustées de perles
de corail, précieux
matériau du Sud.

l'occasion, donnent une idée de la durée
des préparatifs de telles cérémonies funèbres.

Cornes à boire et hydromel

Le volumineux service à boisson de la tombe
comprend neuf cornes à boire, suspendues le long
d'une paroi. Elles aussi sont décorées pour la
circonstance de bandelettes de feuilles d'or ; la plus
grande – d'une longueur de 1,20 mètre et d'une
capacité de 5,5 litres – en fer, est sans doute celle
du défunt. A ses pieds, un chaudron en bronze d'une
contenance de 500 litres, décoré de figurines
de lions, repose sur un trépied en bois. Une
coupe à puiser en or reposait en équilibre sur
son bord. Les restes brunâtres trouvés au
fond du grand chaudron attestent qu'il
servit à macérer
l'hydromel de la
fête de l'ultime
adieu. L'analyse des pollens
révèle une préparation à base de miel d'été et
de plantes locales (thym, jasmin des montagnes,
plantain, centaurée, reine-des-prés, etc.).

  Sur le char bardé de fer, bassins et
assiettes en bronze complètent le service ;
une hache, un couteau et une pointe de
lance en fer sont également déposés, ainsi
que les éléments de harnachement et un
long aiguillon en bois.

La cérémonie du symposium

Le chaudron de Hochdorf, avec ses lions
venant sans doute d'ateliers grecs, est l'un
de ces exemples qui démontrent l'existence
d'un commerce d'art lointain avec les pays
méditerranéens. De belles pièces importées de ces
régions se remarquent dès la fin du VIIe siècle : la
pyxide étrusque de Kastenwald à Appenwihr (Haut-
Rhin), l'œnochoé de type rhodien d'Inzigkofen
Vilsingen (Bade-Wurtemberg), puis les trépieds de
Sainte-Colombe (Côte-d'Or) et de Grafenbuhl
(Wurtemberg), aux pieds léonins caractéristiques
des ateliers grecs vers –600, probablement importés

Généralement des
services de table
et de boisson sont
déposés dans la
chambre funéraire :
cornes à boire, grands
plats de bronze ou de
céramique, chaudrons,
seaux de tradition
indigène, peu à peu
remplacés par des
vaisselles à vin
importées de Grèce,
d'Etrurie ou du sud
de l'Italie, comme
les œnochoés ou les
bassins ornés de têtes
de griffon déposés sur
des trépieds (ci-
dessous). A Hochdorf,
parmi les habituelles
cornes à boire en
matière animale,
se distinguait celle
du prince, tant par
ses dimensions que
par le fer ouvragé
qui la constituait.

du Péloponnèse. L'hydrie (vase à eau) de Grächwill (Suisse), le cratère (grand vase où l'on dilue le vin concentré) de Vix (Côte-d'Or), figurent parmi les importations les plus célèbres de ces services à boisson utilisés pour la cérémonie du symposium. Rite très ancien dans le monde hallstattien, également pratiqué chez les Grecs, il s'agit d'un banquet réunissant une dernière fois les fidèles compagnons du défunt. Des vaisselles en bronze fabriquées localement ont été retrouvées en abondance dans les cimetières, notamment à Hallstatt.

La tombe de Hochdorf (reconstitution ci-dessus) étant demeurée intacte jusqu'en 1978, de nombreuses observations ont pu être faites sur place. Fouilles minutieuses et analyses en laboratoire ont même permis de déterminer la nature de la boisson qui avait macéré dans le chaudron ci-dessous.

Le goût du vin

Les nouveaux contacts avec le Sud permettent d'introduire une boisson inconnue jusqu'alors au nord des Alpes, et qui aura d'importantes répercussions culturelles : le vin !

Les Celtes en raffolent. Le vin devient rapidement l'un des principaux moteurs du commerce avec le monde méditerranéen. Il se transporte en concentré aromatisé, dans des amphores dont on retrouvera de nombreux vestiges dans les habitats. Dès – 500 il remplacera l'hydromel traditionnel de la cérémonie du symposium : des traces en sont présentes dans le fond de la gourde en bronze du prince de Hallein.

Les vaisselles grecques et étrusques, dont les fameuses œnochoés, font partie du raffinement qui accompagne les dégustations de vin – ou l'enivrement – lors des repas de fête et de funérailles princières.

L'or et le pouvoir

Le collier d'or constitue par excellence le symbole du pouvoir de ces princes. En feuille d'or battue, il est, le plus souvent, décoré de petits motifs géométriques estampés, héritage de l'art abstrait de l'âge du bronze.

Exceptionnelle par sa forme et sa hauteur (51 cm), la gourde du prince de Hallein était montée sur des jambes de forme humaine et contenait encore des traces de vin. L'œnochoé étrusque ci-dessous provient du lac de Côme.

On le trouve au cou de la statue de Hirschlanden et à celui des chefs inhumés dans les tombes à char les plus riches, qui, munis de leur poignard, portent souvent un bracelet d'or au bras droit. Autre accessoire de ces privilégiés, la coupe en or fréquemment déposée au bord du récipient qui contient la boisson. Outre ces éléments de prestige, utilisés du vivant du souverain, certains objets déposés dans la sépulture sont recouverts d'or au moment des funérailles... L'orfèvre doit travailler à proximité du tumulus, utilisant, comme à Hochdorf, un jeu de poinçons à estamper assez réduit, dont on reconnaît les figures identiques appliquées sur les différentes pièces.

Dans les tombes féminines les plus opulentes, celles des épouses de princes ou des membres de leur famille, on n'observe pas le même déploiement d'or ; il n'est utilisé que pour rehausser les coiffures, sous forme de grosses têtes d'épingle sphériques ou de boucles retenant un voile autour du visage.

L'or est investi de l'identité des Celtes. Les productions indigènes ont toujours un sens profond, et le besoin d'importer d'autres bijoux n'existe pas. Seules quelques influences de

Trouvés dans la région de Berne, la perle et le pendentif ci-dessous ressemblent étrangement aux productions étrusques.

Souvent décoré de fins motifs géométriques estampés, le collier d'or des princes rappelle l'art abstrait de l'âge du bronze. Les femmes de haut rang portent bracelets, épingles à grosse tête ou boucles d'oreille en feuille d'or martelée et repoussée.

l'orfèvrerie méditerranéenne se perçoivent dans l'adoption sporadique de techniques telles que les soudures, les granulations et filigranes, mais elles seront parfaitement acclimatées par les orfèvres celtes. Le collier de Vix en est un excellent exemple.

L'extravagante princesse de Vix

Au pied du mont Lassois, le tombeau celtique le plus extraordinaire découvert au XXe siècle est celui d'une femme d'une trentaine d'années, morte vers – 480. Cette femme fut sans doute aussi puissante que les plus grands princes de son temps ! Elle gisait allongée sur la caisse d'un petit char, dont les roues avaient été démontées. A ses côtés, un énorme cratère de bronze, vraisemblablement originaire de Grande Grèce, orné

La princesse de Vix semble être morte aux alentours de 35 ans. Son visage a pu être reconstitué d'après son crâne et sa mâchoire.

Jamais l'Antiquité n'avait livré un aussi grand cratère : 1,64 m de haut, 208 kilos, 1 100 litres de capacité. On y mélangeait le vin concentré avec l'eau ; au-dessus, une passoire servait à filtrer les herbes et les épices qui parfumaient le vin. Posée sur le bord du vase de Vix, la coupe attique ci-dessous servait à la dégustation.

d'un large couvercle. Sur le bord, plusieurs autres vaisselles étaient disposées : la phiale (coupe) en argent à ombilic doré, protégée dans un étui végétal, deux coupes attiques et l'œnochoé étrusque en bronze. Le long d'une paroi, des bassins étrusques, ressemblant de façon étonnante à ceux des fresques de Tarquinia. Sur le sol, des pigments bleus et rouges provenant de tentures ou de peintures décoratives.

Des parures de caractère local ornent la princesse – collier de grosses perles de pierre et d'ambre, anneaux de cheville en bronze, bracelets de lignite, fibules aux cabochons de corail. Elle porte à la nuque un bijou étrange et unique, en or fin, d'abord pris pour un diadème : il s'avère être en fait un volumineux collier, véritable chef-d'œuvre d'un orfèvre celte initié aux procédés méditerranéens. Cette attirance pour le Sud est typique de l'époque des premiers princes celtes, où les artisans iront jusqu'à imiter certaines productions, comme celles des œnochoés.

D'égal à égal

Les activités artisanales se développent dans les centres alpins d'exploitation du sel, du cuivre. Le

La récente radiographie du collier de la princesse de Vix (480 g d'or fin !) a révélé qu'il était constitué d'une vingtaine de pièces, assemblées très soigneusement par un maître-orfèvre rompu aux techniques méditerranéennes mais fidèle à certaines traditions celtiques. Les petits chevaux ailés (thème qu'on retrouve aussi sur le collier de Hochdorf et sur des tôles de bronze estampées de Hallstatt) ont été ici obtenus par moulage à cire perdue. Les filigranes et fils perlés qui forment leur socle, ne dépassent pas 2/10 de mm d'épaisseur. Étranges sur un tel bijou, les boules terminales sont reliées au collier par des bagues portant un décor estampé de facture locale.

minerai de fer, plus largement répandu, est exploité relativement tôt, particulièrement dans des régions comme la Lorraine et la Bourgogne, qui jouèrent un rôle majeur dans la formation du premier âge du fer. Les traces matérielles manquent sur les techniques d'extraction ou les ateliers de forgerons ; ceux-ci sont d'ores et déjà capables de forger des bandages de roue ou des placages de char. Les bronziers se restreignent à la fabrication des parures et des vaisselles. Les potiers produisent à l'échelon de la famille ou du village. Leurs productions sont le plus souvent montées à la main, et les décors colorés à l'hématite rouge, à la craie blanche ou au graphite noir brillant. Des matières premières importées font l'objet d'artisanats spécialisés affectés à la cour du prince, comme le travail de l'ambre, du lignite, du corail et de l'ivoire.

Les centres très hiérarchisés des Celtes anciens représentent essentiellement des carrefours d'échanges desservis par plusieurs circuits, ceux des cols alpins ou la vallée du Rhône. Le choix des produits importés est sélectif : les Celtes ne se laissent pas dominer par les marchands grecs et étrusques, mais déterminent eux-mêmes les produits nécessaires à satisfaire leur goût du luxe, et qui correspondent à des rites traditionnels régionaux

Les métallurgistes viennent au premier rang des artisans : d'abord les forgerons, puis les bronziers, les chaudronniers et les fondeurs. On n'a que peu d'informations sur les techniques d'exploitation du fer et sur les ateliers ; on sait toutefois que les forgerons sont capables de façonner des bandages de roue ou des placages de char. Les bronziers se spécialisent dans la fabrication des parures et des vaisselles. Les potiers, sans doute installés dans des officines situées près des gîtes d'argile, produisent à l'échelon de la famille ou du village. Ils montent leurs poteries à la main, et colorent les décors à l'hématite rouge, à la craie blanche ou au graphite noir brillant.

A La Ronce (Loiret), ce seau en bronze recouvert de plusieurs couches de tissus avait servi de réceptacle à une incinération enfouie sous un tumulus. Le rite qui consiste à recouvrir le mobilier funéraire d'étoffes a été observé à maintes reprises, dénotant sans doute un souci ultime de préserver les biens du défunt.

Des matières premières importées sont l'objet d'artisanats spécialisés affectés à la cour du prince : travail de l'ambre, du lignite, du corail et de l'ivoire, cependant que l'industrie du verre prend son plein essor.

Perles de verre de Slovénie, région voisine de la zone celtique orientale. Dans le monde hallstattien en contact avec les régions adriatiques, les femmes appréciaient beaucoup les motifs en ocelles et les couleurs de ces produits rares qui égayaient leurs parures.

hérités de l'âge du bronze. La notion de colonisation, évoquée par le passé, est totalement écartée : Grecs et Etrusques traitèrent avec les Celtes d'égal à égal. Car ces derniers avaient de nombreuses richesses à exporter en échange : le sel, l'étain, le cuivre, l'ambre, la laine, les cuirs, les fourrures… et l'or.

L'ambre originaire de la Baltique constituait la matière première de nombreux colliers celtes. Probablement échangé contre du sel, il faisait l'objet d'un commerce régulier avec les pays du Nord.

Les larges ceinturons en tôle de bronze des premiers Celtes sont estampés de motifs géométriques répétitifs (ci-contre), similaires à ceux qui seront utilisés sur les colliers des princes.

Style traditionnel, modes d'Illyrie

Les groupes celtiques du premier âge du fer se partageaient en deux aires géographiques : la zone «hallstattienne occidentale» avec les porteurs d'épées, et la zone «hallstattienne orientale» avec les porteurs de hache. La même distinction apparaît dans le domaine artistique, particulièrement dans la décoration d'objets tels que les céramiques, dont les formes pourtant sont communes : à l'Ouest, l'art abstrait hérité de l'âge du bronze prédomine, tandis qu'un style plus narratif se développe dans la zone orientale.

Déjà les urnes de Sopron (Hongrie) ou celles de Fischbach (Bavière), datées du VIIe siècle avant notre ère, présentent des silhouettes schématiques : danseurs, musiciens, tisserands, femmes aux bras levés et guerriers. Sur les vaisselles de bronze battu du cimetière de Kleinklein (est de l'Autriche), cette tendance figurative s'associe à la tradition géométrique, présentant des défilés de personnages et des chasses mythiques. L'une des

Avec le cerf, le sanglier fait partie du bestiaire favori des Celtes. Parmi d'autres figurines d'animaux ou de guerriers héroïsés, ce minuscule objet de bronze (5,6 cm) a été retrouvé dans un dépôt votif du sanctuaire de Balzers (Lichtenstein).

Les urnes bavaroises de Fischbach portent, imprimés dans la céramique, des motifs discrètement figuratifs, personnages ou animaux encore empreints d'une grande raideur géométrique.

tombes de ce même cimetière comporte même un masque humain et des mains découpés dans des feuilles de bronze, influence du monde illyrien tout proche (des masques funéraires en feuilles d'or, trouvés à Trebeniste en Yougoslavie, datent de la même époque). Des personnages semblables dont le rôle mythologique est évident – grande déesse, guerriers ityphalliques, associés à des animaux comme le cerf, le sanglier – sont mis en scène sur le chariot votif de Strettweg (Styrie) déposé dans une incinération.

De petite taille (48 cm), le char découvert à Strettweg, près de Graz, concentre bien des représentations divines celtiques. Une déesse de la nature, portant un brûle-parfum, est entourée de guerriers à cheval et d'hommes maintenant un cerf par sa ramure.

L'art des situles

Les maîtres bronziers du nord des Alpes perpétuent la tradition décorative des situles et illustrent les plaisirs des héros toujours évoqués : jeux des lutteurs ou, comme sur la situle de Kuffarn (basse Autriche, ci-contre), bien-être du prince au chapeau à larges bords, tendant sa coupe au serviteur qui lui verse du vin, tandis que derrière lui un compagnon s'en va remplir deux récipients vides.

Le goût de représenter des scènes sur les vaisselles ou les plaques de ceinture remonte au VIIe siècle av. J.-C. et vient d'Etrurie. De là le mouvement se répand vers l'Adriatique – les décors s'animent de griffons, sphinx, lions, cerfs broutants encadrés de rosettes et divers motifs végétaux –, où il prend la forme bien particulière qu'on nommera l'art des situles. Le plus ancien de ces seaux de bronze décorés est celui de la

S eaux évasés réalisés en tôles de bronze battues et parfois munis d'un couvercle, les situles ont constitué le support d'un art très spécifique dans les régions adriatiques de l'Italie et en Slovénie, avant de se répandre dans l'est des Alpes.

Villa Benvenuti à Este (datée vers –650); des couvercles de bronze au décor orientalisant dans la nécropole de Hallstatt en sont contemporains. Les ateliers spécialisés dans cette production de situles ou de plaques de ceinturons historiées se localisent dans le nord de la Slovénie. Avec une étonnante maîtrise du repoussé et de la ciselure, les artisans bronziers

décrivent l'au-delà paradisiaque des guerriers héroïsés : festins, processions, chasses, spectacles de jeux et de lutteurs et autres plaisirs... où les femmes occupent des rôles de servantes versant la boisson. Cet art des situles participe véritablement à la genèse de l'art celtique. Le thème du héros divinisé cher aux Celtes se retrouve ensuite à la frontière de l'aire occidentale, à Hirschlanden ou à Hochdorf en Allemagne du Sud.

E n Slovénie, aux Ve et VIe siècles av. J.-C., des plaques de bronze décorées ornent les larges ceinturons des hommes de haut rang. Ci-dessus à gauche, un exemplaire trouvé à Magdalenska Gora, en Slovénie : un cavalier et des lutteurs. Ces derniers s'affrontent autour d'un casque empanaché, qui semble relever du monde symbolique des guerriers de l'âge du fer et qu'on retrouve aussi parfois dans les dépôts votifs des Alpes. Un détail du ceinturon de Vace (à gauche), autre site slovène, figure un fantassin en marche, coiffé du même casque, armé d'un bouclier, d'une hache et de deux lances.

Réputés pour leur courage, les intrépides guerriers s'emparent de Rome, puis se lancent à l'assaut de Delphes. Mais ces folles conquêtes ne tiendront pas un siècle. Les Celtes ne formeront jamais une véritable puissance centralisée, un empire au sens politique du terme; ils marqueront cependant d'une empreinte durable les différents peuples rencontrés.

CHAPITRE III
LES CELTES À LA CONQUÊTE DU MONDE

Petit à petit le thème de l'oiseau, aquatique à l'âge du bronze, va s'orienter vers les colombins puis vers les rapaces (fibule de Hallein ci-contre). Simultanément les représentations des Celtes reflètent de leur part une agressivité et une soif de richesse accrues (à gauche, détail de la frise de Civitalba).

Près du Hohenasperg une ultime sépulture (dont l'aquarellè ci-contre établit le relevé) est aménagée vers – 450 à Klein Aspergle. Elle évoque la splendeur des prédécesseurs (vaisselle importée : un *stamnos* étrusque et deux coupes grecques), mais présente, en plus, certains attributs du nouveau pouvoir (vaisselles de luxe produites localement : une copie indigène d'œnochoé en bronze, deux cornes à boire revêtues d'or, une ciste à cordon et un grand bassin en bronze ; enfin, une applique de baudrier ornée d'or et de corail).

Le pouvoir des princes du premier âge du fer s'effrite au bout de deux à trois générations. Contrecoup d'une crise interne, de la réorganisation des circuits commerciaux ou des luttes entre Grecs et Etrusques pour le contrôle des échanges, les citadelles, poumons des relations commerciales, sont abandonnées les unes après les autres vers – 500 au profit d'un mode de vie plus rural dominé par une chefferie guerrière. De rares centres anciens, comme le Hohenasperg, résistent encore quelque temps, mais tous périclitent inexorablement. Dans leur périphérie, des régions se distinguent, au Ve siècle, comme les nouveaux phares de la civilisation : la Rhénanie – avec la culture de l'Hunsrück Eifel –, la Bohême, la Champagne et les Ardennes.

Davantage de démocratie

Une lente évolution se produit dans les coutumes et les productions. On trouve le *stamnos* étrusque (vase contenant le vin pur) dans les tombes riches du Ve siècle : à La Motte-Saint-Valentin (Haute-Marne) ou à Altrier (Luxembourg). Le miroir importé d'Etrurie – ou son imitation – est un luxe fréquent des sépultures féminines, que ce soit à Utliberg, près de Zurich, ou

Le bélier, animal qui symbolise la force, sera fréquemment utilisé comme thème ornemental dans l'art celtique. Il prête ainsi sa tête à l'extrémité de la corne à boire de Klein Aspergle, dont on voit ci-dessus l'embout, long de 17 cm, en fer, bronze et or.

à La Motte-Saint-Valentin encore. Néanmoins les mobiliers funéraires laissent entrevoir une moindre disparité sociale entre les détenteurs d'un certain pouvoir et le reste du peuple. Les importations méditerranéennes sont en baisse et les bijoux moins somptueux. Les sépultures des chefs ont perdu de leur monumentalité et leur richesse ostentatoire, tout en conservant un matériel type.

Le second âge du fer apparaît comme une époque nettement plus démocratique mais aussi plus guerrière. Le poignard de parade, symbole de pouvoir des Celtes anciens, fait place à la panoplie complète du guerrier. Désormais, les princes, ou plutôt les guerriers-aristocrates comme celui de Hallein, sont inhumés sur un char à deux roues, véhicule de combat plus léger, conçu pour des déplacements rapides, et non plus sur un char de parade.

Les berceaux de l'art celtique

Sur la rive gauche du Rhin, dans les collines de l'Hunsrück et de l'Eifel, un petit groupe de Celtes se distingue par son dynamisme et son conservatisme, de la fin du VIe siècle jusqu'au milieu du IVe siècle.

La concentration de tombes riches y est la plus grande pour l'époque, sous des tumulus souvent groupés, et parfois en relation avec des habitats

A l'imitation des mœurs étrusques, le miroir devient, chez les Celtes du Ve siècle, un accessoire indispensable des femmes de l'aristocratie, qui l'emportent jusque dans leur tombe (ci-dessus, le miroir de La Motte-Saint-Valentin, dans la Haute-Marne).

Munie de deux rames et la proue relevée, cette barque miniature en or (6,6 cm de long) provient d'une tombe de guerrier de Dürrnberg. Elle a la forme traditionnelle des embarcations qui, à l'âge du fer, acheminaient notamment les cargaisons de sel, et qui sillonnent encore de nos jours les lacs du Salzkammergut.

fortifiés. Plusieurs personnages au statut princier y reposent, enterrés suivant le rite des Celtes anciens du nord-ouest des Alpes. Torques, bracelets, fibules, éléments de ceinture, de char en bronze ou en fer, appliques d'or sur la vaisselle à boisson, prolifèrent, tous décorés selon le style celtique naissant. Le bracelet de bronze, ou surtout d'or, parfois somptueusement orné, restera longtemps la marque de noblesse d'une catégorie de guerriers de haut rang. Toutefois, en nombre plus restreint, d'autres arborent une énigmatique applique en fer ou en bronze plaqué d'or, rehaussée de cabochons de corail, du type de celle appartenant au prince wurtembergois de Klein Aspergle.

Plus à l'est, en Bohême, s'épanouit la même civilisation, également en pleine expansion. Des bourgades fortifiées s'édifient ou se reconstruisent –

La tombe de Schwarzenbach, datée fin du Vᵉ siècle, a livré de petites appliques comme celle ci-dessous, et une fine résille d'or ajourée (en bas), qui enveloppait sans doute un bol en bois de nos jours disparu.

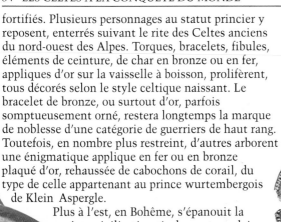

Deux masques féminins terminent le torque torsadé de Reinheim (Sarre). Ils sont surmontés de sortes de grandes oreilles ou de feuilles de gui (comme également le masque de l'applique ci-dessus) entre lesquelles surgit une tête de rapace, et de deux protubérances en forme de poires. Ce bijou, ainsi constitué de nombreux éléments soudés, a dû être porté par sa puissante propriétaire, autour de l'an – 400.

comme Zavist. Les princes celtes de Bohême
adoptent des décorations identiques à celles de leurs
cousins rhénans, comme en témoigne un personnage
enterré à Chlum. Cet usage, curieusement, ne semble
pas partagé par les Champenois.

Des femmes hors du commun

Entre Sarre et Rhénanie-Palatinat, il n'est pas rare que
des tombes riches sous tumulus possèdent des pièces
de service à boisson rehaussées de métal précieux :
décors et couvercles de cornes à boire, coupes en bois
enveloppées de résille d'or, comme celle de
Schwarzenbach (Sarre).

   Les sépultures princières féminines prédominent,
livrant des vestiges étonnants : celle de Bad
Dürkheim, avec un trépied et un stamnos
étrusque, torques et bracelet en or,
sans compter les richesses des
princesses de
Reinheim, de

Comme en
Etrurie, les
vaisselles
précieuses
étaient placées
sur des trépieds en
bronze aux pieds
souvent léonins. Ci-
dessous le trépied et
le stamnos en bronze
de la tombe princière
de Bad Durkheim en
Rhénanie, produits
étrusques importés
au Ve siècle av. J.-C.

Waldalgesheim,
l'une vivant au début,
l'autre à la fin du IVe siècle. Toutes ces
femmes que l'on a retrouvées entourées
d'indices révélateurs de leur rang durent
jouer, comme déjà la dame de Vix, un rôle
égal à celui des plus grands chefs celtes.

L'anticonformisme des Champenois

En Champagne, les vastes cimetières du
second âge du fer comportent – signe
d'un peuplement dense – des tombes
plates sans tumulus, creusées à perte
de vue dans le sol crayeux. Faciles à
repérer, ces sites furent fouillés dès le siècle

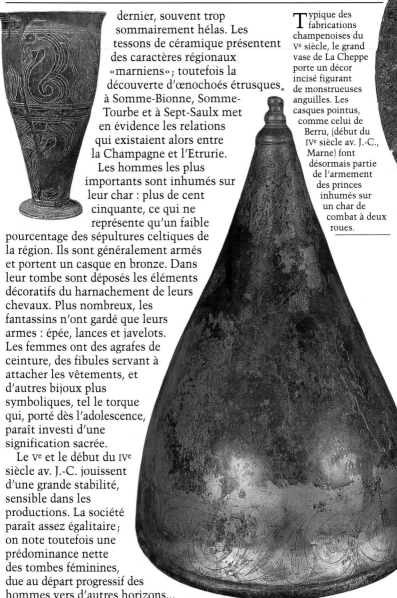

dernier, souvent trop sommairement hélas. Les tessons de céramique présentent des caractères régionaux «marniens»; toutefois la découverte d'œnochoés étrusques à Somme-Bionne, Somme-Tourbe et à Sept-Saulx met en évidence les relations qui existaient alors entre la Champagne et l'Etrurie. Les hommes les plus importants sont inhumés sur leur char : plus de cent cinquante, ce qui ne représente qu'un faible pourcentage des sépultures celtiques de la région. Ils sont généralement armés et portent un casque en bronze. Dans leur tombe sont déposés les éléments décoratifs du harnachement de leurs chevaux. Plus nombreux, les fantassins n'ont gardé que leurs armes : épée, lances et javelots. Les femmes ont des agrafes de ceinture, des fibules servant à attacher les vêtements, et d'autres bijoux plus symboliques, tel le torque qui, porté dès l'adolescence, paraît investi d'une signification sacrée.

Le Ve et le début du IVe siècle av. J.-C. jouissent d'une grande stabilité, sensible dans les productions. La société paraît assez égalitaire; on note toutefois une prédominance nette des tombes féminines, due au départ progressif des hommes vers d'autres horizons...

Typique des fabrications champenoises du Ve siècle, le grand vase de La Cheppe porte un décor incisé figurant de monstrueuses anguilles. Les casques pointus, comme celui de Berru, (début du IVe siècle av. J.-C., Marne) font désormais partie de l'armement des princes inhumés sur un char de combat à deux roues.

Les phalères sont des disques, en bronze généralement, qui ornent le harnachement des chevaux, ou les caisses des chars. Celle de Cuperly (ci-contre, Marne) mesure 10 cm de diamètre et provient de la tombe d'un riche guerrier enterré à la fin du Ve ou au début du IVe siècle av. J.-C. Elle est constituée par l'assemblage de plusieurs pièces, notamment des cabochons ajourés en relief ; l'organisation parfaite du décor est due à sa préparation au compas. Plus simples, plus grandes aussi, sont les phalères de Saint-Jean-sur-Tourbe (ci-dessous, Marne encore), d'un diamètre de 24,5 cm.

Emergence d'un art unique

Au Ve siècle, des innovations techniques permettent aux Celtes de sortir définitivement de l'art géométrique répétitif encore très en vogue au premier âge du fer dans de nombreuses régions. Les lignes se courbent, se libèrent ; l'assimilation des influences méditerranéennes est désormais consommée.

Des thèmes orientaux sont introduits : l'arbre de vie entouré d'oiseaux, de gardiens monstrueux ou de dragons ; le maître des animaux ; la palmette, la fleur de lotus ; le thème du masque humain. Présents de la Champagne jusqu'en Bohême et aux confins des Carpates, ils trahissent des modifications profondes dans les croyances et constituent la nouvelle panoplie des symboles magiques qui occuperont inlassablement le répertoire des artistes celtes.

Le nouvel emploi du compas à pointe sèche permet de réaliser des décors complexes. Le goût de l'équivoque, des lectures multiples, le jeu entre les lignes et les volumes au

détriment des formes naturelles deviennent, sans doute à l'image de l'esprit des Celtes, des caractères fondamentaux de leur art ornemental qui enrichit les objets de l'élite.

Sur ce vase à piédestal de Champagne (à gauche) le décor curviligne a été obtenu par l'application d'un engobe (enduit d'argile chargé d'oxydes métalliques) provoquant, à la cuisson, un contraste noir et rouge.

A chaque région son imagerie

Ces thèmes communs trouvent des interprétations différentes selon les ateliers régionaux. Ainsi les fibules à double masque symétrique sont surtout produites dans le Rhin moyen, celles à arc asymétrique plutôt dans l'Est. Le sanglier, l'oiseau en vol ou les fibules en forme de chaussure appartiennent aux artistes du Dürrnberg. Les décors figuratifs fantastiques sont plus fréquents dans le groupe de Bohême, par contre relativement rares en Suisse et en Champagne, régions d'expression moins exubérante.

Ce premier style (du Ve au début du IVe siècle) s'applique aussi au domaine des céramiques : en Champagne et dans les Ardennes, des vases à pied faits à la tournette sont peints en rouge de larges décors curvilignes. En Armorique, les poteries noires reproduisent les formes de vaisselles métalliques et s'ornent de

petits motifs poinçonnés ou de décors incisés à base de palmettes.

Tentation expansionniste

La légende veut que les Celtes de Gaule aient alors été soumis à l'autorité des Bituriges et de leur roi, Ambigat... Désirant éviter à son royaume la surpopulation, celui-ci décide d'envoyer ses neveux Bellovèse et Ségovèse, tous deux jeunes et entreprenants, s'établir en les lieux que les dieux leur assigneront. A Ségovèse l'oracle indique la forêt hercynienne ; à Bellovèse, la direction de l'Italie...

A la fin du Vᵉ siècle, en effet, à l'instigation de certains chefs celtes un processus de conquête de toute l'Europe moyenne puis de l'Europe méditerranéenne se met en marche. La fascination pour l'Italie, la situation confuse dans laquelle elle se trouve alors plongée par le déclin des Etrusques en font une proie toute désignée pour les Celtes.

Venus du nord des Alpes, ils vont, en cohortes, déferler sur la péninsule. Ils ne s'y sentent d'ailleurs pas vraiment étrangers, puisque les populations des Alpes italiennes sont souvent de souche celtique. On peut les suivre à la trace : des objets comme les agrafes de ceinture indiquent la présence de guerriers celtes en Languedoc dès le Vᵉ siècle, sur le chemin de l'Italie. Ils s'y infiltrent lentement à titre de mercenaires en quête d'emploi ou d'éclaireurs...

Une fibule anthropomorphe de Bohême (ci-contre) semble évoquer un personnage précis de la mythologie des Celtes. Elle provient d'une tombe de la seconde moitié du Vᵉ siècle. Son corps de bronze est criblé de trous, traces probables d'anciennes incrustations de corail.

Les deux visages présentés en page de gauche sont deux parties d'une seule et même fibule, slovaque, à triple masque humain de la fin du Vᵉ siècle. Ce type était répandu surtout en Europe centrale. Deux masques sont opposés par le menton, sur l'arc de la fibule ; un troisième part du front du plus grand des visages, là où manque sans doute un cabochon de corail dont ne reste que la châsse. Parfaits exemples de l'art celte classique, les sourcils forment des accolades, depuis le nez jusqu'au sommet du front.

Les agrafes de ceinture ajourées permettent de suivre l'assimilation des nouveaux motifs par les Celtes transalpins et le rôle important joué par l'Italie du Nord dans la transformation de l'art celtique. Celle-ci (à gauche) provient de Bavière ; on y trouve le thème oriental de l'arbre de vie.

Un grouillement d'êtres fabuleux

Au début du second âge du fer, l'art des petits objets crée tout un bestiaire : chevaux, sangliers, oiseaux... Les fibules et les appliques sont affublées de têtes d'hommes, d'animaux ou de créatures fantastiques, dont la combinaison permet d'appréhender le système symbolique des Celtes. Les traits du visage humain accentuent la bouche et les sourcils, gonflent les yeux et les joues. Barbes et coiffures prennent un aspect végétal. Les oreilles deviennent pointues. A gauche, deux fibules de Hallein datant du Ve siècle : un oiseau à bec crochu et une double figuration, d'âne à un bout, d'humain grotesque à l'autre. Puis une attache d'œnochoé de Klein Aspergle, avec son masque mi-humain mi-bestial. En bas, le somptueux cheval à tête humaine du couvercle de l'œnochoé de Reinheim. En page de droite, un détail du bracelet du guerrier de Rodendach; puis une boucle décorative de harnachement du IVe siècle av. J.-C., provenant de la tombe de la princesse de Waldalgesheim, sur laquelle s'affrontent deux flamants; enfin un anneau passe-guide en bronze moulé, du IIe siècle av. J.-C., orné d'un visage hallucinant.

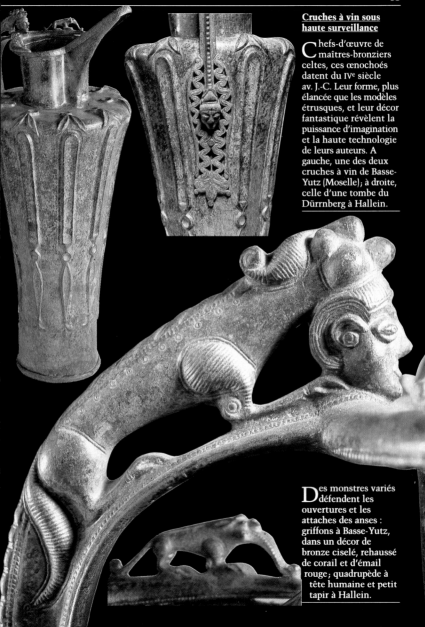

Cruches à vin sous haute surveillance

Chefs-d'œuvre de maîtres-bronziers celtes, ces œnochoés datent du IVe siècle av. J.-C. Leur forme, plus élancée que les modèles étrusques, et leur décor fantastique révèlent la puissance d'imagination et la haute technologie de leurs auteurs. A gauche, une des deux cruches à vin de Basse-Yutz (Moselle); à droite, celle d'une tombe du Dürrnberg à Hallein.

Des monstres variés défendent les ouvertures et les attaches des anses : griffons à Basse-Yutz, dans un décor de bronze ciselé, rehaussé de corail et d'émail rouge; quadrupède à tête humaine et petit tapir à Hallein.

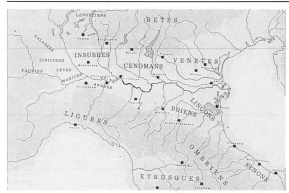

Tribus celtes en Italie : les Insubres, installés aux pieds des Alpes, et dont la capitale est Mediolanum (Milan); les Cénomans autour de Vérone et dans la vallée du Pô, leur capitale est Brixia (Brescia); les Boiens autour de Parme et Bologne; les Lingons sur les bords de l'Adriatique; quant aux Sénons, arrivés les derniers en Italie, leurs tombes trahissent de fortes influences gréco-romaines. Le casque de Canosa (ci-dessous), dans les Pouilles, prouve la présence de Celtes en Italie du Sud entre – 367 et – 349.

Les Celtes envahissent l'Italie !

Le début du IVe siècle voit le déclenchement du véritable processus de conquête : 300 000 Celtes se seraient mis en mouvement à la suite de ce *ver sacrum* (émigration sacrée, décrite par les anciens, d'une partie de la population assignée à la colonisation de nouveaux territoires).

Les rapports de force changent : de commerciaux et pacifiques ils deviennent politiques et belliqueux; mais la réalité est sans doute plus complexe... En effet, si les textes antiques évoquent essentiellement les luttes entre les Celtes et Rome, ou les mercenaires gaulois qui tirent profit des conflits internes, l'archéologie a mis en évidence un tout autre aspect : celui de nouveaux venus s'intégrant parfaitement à la vie italienne, d'une véritable symbiose de la culture celte et de la culture italique !

La Ville éternelle aux mains des Barbares

La vague humaine à l'origine du peuplement celtique d'une grande partie de l'Italie est propagée par cette invasion qui touche d'abord l'Etrurie et aboutit au siège de Clusium (Chiusi). L'expédition, dont les Sénons (peuple celtique du bassin de l'Yonne) seraient les principaux artisans, marche ensuite sur Rome. La défaite romaine au confluent de l'Allia et du Tibre, à quelques kilomètres de Rome, puis la destruction de la ville, dévastée et incendiée, occupée pendant sept mois, constituent autant d'événements tragiques marquant l'année – 386.

Le Capitole, assiégé, aurait été pris par les Celtes sans le fameux épisode des oies donnant l'alerte. Les guerriers s'abattent alors sur tous les quartiers de la ville, partout où ils pensent trouver un riche butin. Aucune honte n'est épargnée aux Romains, dont la rançon est fixée à mille livres d'or. Les poids apportés par les Gaulois sont pipés, et comme le tribun les refuse, Brennus, le héros vainqueur, rejetant toute discussion, ajoute même insolemment son épée parmi les poids de la balance, prononçant le cynique «*Vae victis!*» : Malheur aux vaincus !

L'aventure des Celtes en Italie a frappé très tôt, et de façon durable, l'imagination des artistes. Ci-dessus les *Gaulois en vue de Rome*, par Luminais. Ci-dessous la stèle de Bormio, dans la région du lac de Côme où sont apparues, dès le IVe siècle av. J.-C., des formes d'écriture d'une langue celtique.

« Trouvant clos les logis des plébéiens et grands ouverts les atriums des nobles, ils hésitaient presque plus à envahir les maisons ouvertes que les autres : car ils éprouvaient une sorte de vénération à voir, assis dans leurs vestibules, ces personnages à qui leur costume conférait une grandeur plus qu'humaine [...]. Ils auraient pu être des statues dans un sanctuaire, et eux devant eux les Gaulois se tenaient un instant médusés. Soudain l'un d'eux, un certain Marcus Papirius, à qui un guerrier avait touché la barbe [...] lui donna sur la tête un coup de son baton d'ivoire, déclenchant du même coup sa colère. Il fut massacré, avec tous ceux qui se tenaient assis. Les Gaulois pillèrent les maisons et, après les avoir vidées, y mirent le feu. »

Tite-Live,
Histoire de Rome

Paul Jamin 1893

Les Sénons s'établissent ensuite le long de la côte adriatique, entre les villes actuelles de Pesaro, Ancône et Macerata, région stratégique qui détermine le contrôle de l'accès à la vallée du Tibre, ainsi qu'aux villes d'Apulie et de Campanie.

Les prémices d'une terrible vengeance

Peu après la descente des Sénons sur Rome, les textes mentionnent la présence de mercenaires celtes mêlés à divers conflits en Méditerranée. Il semble bien, d'ailleurs, que la campagne d'Italie ait été menée avec une connaissance précise de la situation locale. Le mercenariat aurait constitué un premier phénomène d'infiltration.

De nombreux transalpins assoiffés de bagarres et de gains viennent organiser des razzias vers l'Apulie, la Campanie, l'Etrurie. Les Celtes s'associent à Denys Ier l'Ancien, tyran de Syracuse, en −385, pour réduire le pouvoir des Etrusques et mener une campagne contre la ville de Caere (Cerveteri); l'alliance tient une trentaine d'années. En −332, un traité de paix est conclu entre les Sénons et Rome. Puis une nouvelle coalition se monte pour briser l'expansionnisme renaissant de Rome : Sénons, Etrusques, Ombriens et autres sont ligués, mais finalement défaits devant Sentinum, en Ombrie, en −295.

Le processus de répression s'enclenche, et les Sénons sont vaincus définitivement en −283, leur territoire redistribué. En −249 éclate une nouvelle crise : les Boiens (originaires de Bohême) font appel aux Gaulois transalpins, mais ils sont ensemble défaits lors d'un terrible affrontement, en −225, près de Télamon. Enfin la guerre s'achève

La frise de Civitalba fut réalisée au début du IIe siècle av. J.-C., pour commémorer la victoire de Rome sur les envahisseurs celtes. Au centre, un Celte sur son bige renverse dans sa fuite un de ses compagnons; derrière lui un autre se défend contre les poursuivants romains. Les vases de métal volés roulent à terre... Ci-dessous un buste d'Alexandre le Grand par Lysippe. A gauche, le casque de Ciumesti (Roumanie, IIIe siècle av. J.-C.).

en – 222 après la prise de Milan, capitale de la tribu celte des Insubres. En – 191 vient le tour des Boiens : ils se soumettent définitivement.

Des fanfarons chez le grand Alexandre

L'Europe centrale et balkanique est l'autre direction que l'oiseau des augures avait indiquée à Ségovèse... Les troupes celtes arrivent vraisemblablement jusqu'en Pannonie (vers la fin du Ve siècle, des nécropoles comme celle de Stupava, près de Bratislava, offrent des objets caractéristiques : agrafes de ceinturon, épées, couteaux). L'axe de pénétration principal est le Danube.

Une délégation de Celtes, originaires sans doute de Pannonie, rencontre Alexandre le Grand en – 335, quelque part vers le confluent du Danube avec la Morava. Il y a échange de gages ou de cadeaux diplomatiques... Incidemment, Alexandre demande alors à ses interlocuteurs ce qu'ils redoutent le plus chez les hommes, espérant bien que son renom se sera propagé en pays celtique, répandant avec lui le respect et l'effroi. Mais la réponse est inattendue : les Celtes ne redoutent rien, rétorquent-ils, si ce n'est de voir un jour le ciel tomber sur eux ! Alexandre les appelle ses amis, en fait ses alliés, puis les congédie en observant que ces gens-là sont des fanfarons...

L'empire du monde végétal

Au IVe siècle, les contacts avec les Etrusques et les Grecs sont devenus plus directs. Les artistes celtiques – et en premier lieu les ateliers celto-italiques – assimilent leurs apports et élaborent un nouveau courant : le style végétal continu, encore nommé style de Waldalgesheim, en référence aux bijoux typiques d'une tombe de Rhénanie. Il repose sur l'emploi de rinceaux et de palmettes associés dans des compositions à système répétitif d'enchaînement continu, faisant alterner motifs statiques et motifs dynamiques. Il n'est pas rare d'y voir les motifs végétaux se métamorphoser en fugitives figures humaines.

Parmi les vestiges celtiques d'Italie, la trouvaille la plus méridionale est le casque d'apparat à décor végétal découvert à Canosa en Apulie. Le torque en or de Filottrano, issu des nécropoles sénones des Marches, tout comme la fibule d'argent de Berne-Schosshalde, illustrent cette intégration « à la celte » des motifs méditerranéens… Car le nouveau style se diffuse rapidement au nord des Alpes, et même dans l'Ouest, où des casques d'apparat montrent qu'il correspond à une phase d'extension générale des Celtes.

Dans la tombe d'Eygenbilsen (Limbourg) une corne à boire était décorée de cette feuille ajourée qui l'entourait : la frise de palmettes et de motifs floraux est typique du style végétal continu.

Le casque d'Agris (Charente), en fer plaqué de bronze, lui-même entièrement recouvert d'or fin, est un chef-d'œuvre typique de l'orfèvrerie celtique du IVe siècle.

Les Celtes cisalpins détiennent la haute main sur le trafic du corail, richesse de la mer Tyrrhénienne, surtout du golfe de Naples. Ce commerce apparu au VIe siècle s'amplifie désormais, lié à la production de torques, casques et fourreaux d'épée.

L'air du Danube

Les techniques inspirées des ateliers méditerranéens et de ceux de la mer Noire se rejoignent au IIIe siècle dans un goût maniériste : pseudo-filigranes et pastillages couvrent les bijoux. La fonte du bronze atteint alors un haut niveau de virtuosité et le style plastique s'épanouit.

De nouveaux types de parure apparaissent, comme les ceintures à chaînes féminines, constituées de lourds maillons ouvragés et de pendeloques ornées d'émail. Les bracelets et anneaux de cheville moulés, à fermoir et à oves creux, font fureur dans les régions danubiennes, en Bohême et en Allemagne. Ils donnent vite naissance à des anneaux ornés de reliefs baroques, de spirales, parfois disposées en triangles (triscèles) d'où surgissent des visages humains. De tels bijoux parviendront même dans le sud-ouest de la Gaule.

A l'époque où les guerriers celtes vont se confronter au monde hellénistique, la Hongrie est le berceau de l'art des fourreaux d'épée. Cette mode gagne la Suisse, puis, à travers la Gaule, les îles Britanniques, et de l'autre côté les pays balkaniques. Le thème de base du décor est l'affrontement de deux animaux imaginaires, dragons ou bipèdes à queue ou sexe dressé, ou encore oiseaux filiformes... Ces motifs à valeur magique sont parfois incrustés ou plaqués d'or, et passent subrepticement du végétal à l'animal.

Anneau passe-guide à tête humaine de la région de Paris. Il n'est guère éloigné des exemplaires trouvés sur le chemin des lointaines expéditions des Celtes, par exemple à Mezek, en Bulgarie... Leur décor fait apparaître une tête humaine au milieu de motifs spiralés en relief, décrivant parfois des triscèles.

Une fibule de bronze yougoslave de la fin du IIIe siècle av. J.-C. (à gauche) est traitée en pseudo-filigrane. Il s'agit d'un effet obtenu par moulage, et non par l'application de fils très fins disposés un à un. Ce type de décor a été adopté par des Celtes de l'Ouest : ainsi se retrouve-t-il sur certains bijoux de Champagne.

Le timbre du casque d'Agris (Charente, page de gauche) porte des motifs en palmettes et des cabochons de corail fixés par des rivets d'argent. Sous forme de barrettes, du corail encore orne le couvre-joue, où des fils perlés dessinent des fleurs et un serpent à tête de bélier.

Vers d'autres terres

L'empire macédonien constitue longtemps une barrière pour les Celtes. Ils occupent au IVe siècle le nord-ouest de la Hongrie, le sud-ouest de la Slovaquie et une partie de la Transylvanie. A la mort d'Alexandre, ils développent leur avancée. Les combats qui se déroulent dans le monde hellénistique représentent un débouché pour le mercenariat, d'autant plus appréciable que la situation en Italie commence à se gâter. Les Transalpins en quête d'aventures se dirigent désormais vers l'Atlantique, mais plus encore vers les Balkans.

La poussée orientale atteint son point culminant avec l'expédition vers la Grèce et le sanctuaire de Delphes. Au début du IIIe siècle, une première pénétration en Thrace se solde par un échec. Le grand affrontement a lieu en –280, avec trois groupes qui livrent simultanément bataille. Le territoire des Triballes et la Thrace sont envahis par les Celtes de Kerethrios, l'Illyrie et la Macédoine par les guerriers de Bolgios, et la Péonie par les troupes de Brennos et Akichorios. Les Celtes pénètrent la Macédoine en remontant sans doute la vallée de la Morava. Ils font subir une cuisante défaite à l'armée de Ptolémée Kéraunos. Capturé, celui-ci sera décapité.

L'or de Delphes

Après cette victoire l'armée se scinde en deux. Brennos profite de l'ouverture pour fondre sur la Grèce, mais sa marche vers le Sud est jalonnée de combats et de lourdes pertes en hommes. Après avoir passé les Thermopyles avec sa troupe d'élite, il lance en –279 un raid sur Delphes, dont la célébrité est notoire. C'est le désastre. Une légende évoque un miracle opéré par Apollon pour éviter le sacrilège, une autre parle du sac de Delphes et des trésors qui auraient été emportés en Gaule...

Le thème de la chaussure est très prisé par les Celtes. Ici sous la forme d'un vase hongrois, du IIIe siècle av. J.-C., on le retrouve aussi sur certaines fibules, en particulier à Hallein en Autriche.

Apollon, raconte la légende, serait apparu avec fracas au moment crucial où les barbares allaient piller le trésor de son temple. Que les Celtes aient convoité l'or de Delphes ne fait pas l'ombre d'un doute. Mais que dans leur débâcle ils aient pu en emporter des milliers de kilos, découverts plus tard par les Romains dans des sanctuaires de la région de Toulouse, semble moins certain. Ci-dessous et ci-contre, le même événement vu par un potier gallo-romain et par un peintre du XIXe siècle.

Cependant, Brennos, blessé, se suicide. Une autre fraction restée en Thrace sera défaite en –277 par Antigonos Gonatas : ces Celtes se replieront en Bulgarie où ils fonderont l'éphémère royaume de Tylis.

   La grande invasion de la Grèce s'achève ainsi. Des groupes d'hommes armés s'égailleront et s'engageront comme mercenaires. Ces campagnes de quelques années laissent peu de traces archéologiques, juste assez pour confirmer l'identité de ces envahisseurs venus des régions danubiennes.

Celtes orientaux et Galates

Les rapports établis entre les Celtes et les grands peuples barbares des bords de la mer Noire sont d'une tout autre nature. Des contacts commerciaux existent peut-être, notamment le long du Danube. Certains caractères communs dans les cultures, comme la coutume de la chasse aux têtes, pratiquée aussi par les Scordisques, ou des influences sensibles dans les techniques décoratives des objets de luxe,

Ayant tué sa femme, le Gaulois se suicide à son tour : cette statue fait partie d'un groupe dédié par Attale Ier au sanctuaire de Pergame à la fin du IIIe siècle av. J.-C. C'est après sa victoire sur les Galates, vers –230, qu'Attale Ier, dit le Sauveur, prit le titre de roi de Pergame.

montrent que des échanges d'idées s'ébauchent, que les objets circulent. Ainsi le torque de Cibar Varos est-il le vestige celtique le plus ancien de Thrace.

Un groupe de Celtes, les Galates passés en Asie Mineure, essaie de s'intégrer au monde hellénique. Un contingent de l'ancienne armée de Brennos se met au service de Nicomède Ier de Bithynie, qui les installe dans un territoire situé entre son propre royaume et celui d'Antiochos de Syrie. Cette implantation n'apporte que des troubles en Anatolie occidentale et provoque des hostilités incessantes. Les Galates sont chassés vers la région des plateaux, la partie la plus pauvre d'Asie Mineure. Ils terrorisent les

Gaulois mourant, encore nommé *Gaulois du Capitole* (ci-dessous). Liée à sa restauration, une récente étude de cette statue de la fin du IIIe siècle av. J.-C. a remis en cause la traditionnelle hypothèse selon laquelle elle n'était qu'une copie en marbre d'après un original en bronze exécuté pour le sanctuaire de Pergame. En effet, le marbre, qui provient d'Asie Mineure, et la finesse de l'exécution font maintenant penser qu'il s'agit bel et bien de l'original lui-même !

grandes villes alentour, dont Gordion, la cité de Midas. Ils s'ingèrent dans les affaires des Etats helléniques vers – 240 et s'attaquent même à Pergame ; mais le roi Attale Ier leur inflige plusieurs défaites. Très hellénisés, éloignés de leur terre d'origine, ils constituent une minorité isolée qui aurait, selon les sources antiques, conservé la langue et les traditions celtiques.

En passant par les Pyrénées

Dans le sud-ouest de la France, où l'implantation des peuples aquitains est bien définie au Ve siècle av. J.-C., des indices archéologiques attestent une infiltration celtique venue de l'est : l'extension des tombes à char jusqu'au seuil du Poitou, la répartition de fibules typiquement celtiques jusqu'au cœur des

L'or fin du bracelet de Lasgraïsses (Tarn, page de gauche) est réputé provenir du trésor de Delphes rapporté par les Tectosages (peuple de la région de Toulouse, dont une tribu s'était établie au nord de la Galatie). Il illustre les productions d'orfèvrerie celtique que l'on date autour des IIIe et IIe siècles av. J.-C. Ces bijoux au décor plastique fleuri se retrouvent aussi en de rares exemplaires dans l'actuelle Yougoslavie.

Pyrénées. Ces influences sont sporadiques jusqu'au IIIe siècle ; se développe alors une culture particulière. L'habitat de Vieille-Toulouse, celui d'Agen, représentent des bastions celtiques dans la région. Les trésors de torques en or du Tarn et de Haute-Garonne confirment cette implantation.

La présence celtique dans la péninsule Ibérique est avérée par les textes antiques, la linguistique et la toponymie. Les Celtibères auraient occupé les régions centrales de la péninsule. D'autres régions seraient également concernées : en Lusitanie se retrouvent les traces d'un dialecte celtique archaïque. En Galice, région gauloise comme son nom l'indique, les Celtes seraient arrivés au milieu du Ier siècle av. J.-C. La celtisation serait donc très tardive ; cependant, sites fortifiés et trésors de torques s'y multiplient à partir de – 500. S'agit-il d'une réaction à l'arrivée de premiers groupes celtiques ? Des sculptures massives, dites celtibériques, proviennent de ces *castros* ; elles représentent des sangliers, des taureaux et des guerriers hiératiques tenant un bouclier et arborant un torque.

L'Armorique

Les régions de l'Europe atlantique connaissent pendant tout l'âge du bronze une communauté

Retrouvé dans le Tarn, ce bracelet, datant de la fin du IIIe siècle av. J.-C., présente une indéniable affinité avec ceux des Celtes d'Orient dont il aurait peut-être été importé.

Guerrier celtibère ? Au Portugal, la statue de pierre du Castro de Lezenbo (ci-dessous), datée entre le IIe et le Ier siècle av. J.-C., représente un homme dont le torque et le bouclier ont autorisé un rapprochement avec la statuaire celtique.

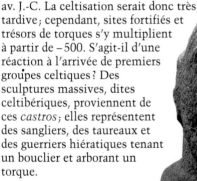

culturelle et
économique. Occupées par des populations de même
origine, elles sont très riches en ressources naturelles,
notamment l'étain dont la célébrité atteint le monde
méditerranéen et attire de nombreux voyageurs.

L'Armorique entre dans l'orbite celtique entre les
Ve et IVe siècles : les éléments d'œnochoé ou les armes
trouvés dans le cimetière de Tronoën (Finistère),
les perles d'or du souterrain-refuge de Tréglonou
(Finistère), témoignent de contacts réguliers avec
les Celtes des zones continentales, qui n'empêchent
pas le maintien d'un fort régionalisme. Le breton
armoricain, considéré comme la seule langue celtique
encore parlée de nos jours en Europe continentale,
est la meilleure preuve de l'appartenance de la région
au vaste domaine celtique d'alors. Quant à la
céramique locale, d'une grande finesse, elle
demeurera longtemps inspirée des modèles
métalliques d'Italie du Nord.

Au IVe siècle av. J.-C.,
la poterie bretonne
est fortement influencée
par les productions
italo-celtiques de
vaisselles de bronze
aux motifs estampés.
Le décor curviligne
utilisé sur la céramique
du vase du tumulus de
Kervenez (Finistère)
évoque une inspiration
de style végétal.

Le fourreau en bronze
du poignard de
Kernavest (Morbihan)
reprend, au Ve siècle
av. J.-C., la technique
de l'estampage, qui
était très utilisée au
VIe siècle sur les colliers
et les ceintures des
premiers princes celtes.

L'aigle des légions romaines étend son vol au-delà des Alpes. César menace bientôt la Gaule. L'agitation gagne les tribus celtes, qui se regroupent derrière le jeune chef Vercingétorix. La défaite d'Alésia sonne le glas de l'Europe celtique, dont la partie orientale ne résistera pas mieux à l'invasion des Germains. C'est à l'Ouest, de la Bretagne à l'Irlande, que les barbares vaincus déposeront les reliques de leur antique culture.

CHAPITRE IV
LES CELTES FACE AU GÉANT ROMAIN

Les Romains allaient au combat équipés de cuirasses à éléments métalliques, et rôdés aux techniques d'attaque par leurs campagnes précédentes. Torse nu, téméraires, les Celtes les affrontaient, protégés par leurs seuls casques et boucliers. Symbole de puissance et protection magique, certaines de leurs armes, épées ou poignards, étaient pourvues d'une poignée anthropomorphe, présentant une tête humaine entre deux accolades figurant des bras et des jambes stylisés.

Dès le début du IIe siècle av. J.-C., Rome subjugue et assimile complètement les Celtes cisalpins. Après soixante-dix ans de résistance, la péninsule Ibérique est enfin soumise en – 133. Le projet de réunir l'Italie à cette nouvelle province par une voie terrestre est sous-jacent.

La conquête de la Narbonnaise : le doigt dans l'engrenage

Rome possède sur la côte méridionale de Gaule une alliée fidèle, Marseille, qui rencontre précisément des difficultés pour protéger son commerce des attaques des pirates ligures et se défendre, du côté terrestre, contre les Gaulois trop encombrants. Marseille lance un premier appel à l'aide en – 154, et les tribus ligures qui assiègent ses colonies autour de Nice et d'Antibes sont repoussées par les armes. Une fois le conflit réglé, Rome se retire. Une génération plus tard, en – 125, nouvel appel, cette fois contre le peuple celto-ligure des Salyens : en – 124 ceux-ci sont défaits et leur oppidum d'Entremont (près d'Aix-en-Provence) pris par les Romains. Mais le plus puissant peuple gaulois de la rive gauche du Rhône, les Allobroges, leur donne asile. En – 122 une nouvelle armée romaine se dirige contre eux malgré l'interposition du roi des Arvernes, Bituit, passe les Alpes et remporte la victoire.

L'hégémonie que les Arvernes prétendent exercer sur la Gaule contraint les Romains à intervenir. Bituit rassemble alors 300 000 hommes pour

Dans la Narbonnaise, région composite conquise par Rome en – 121, les agglomérations portent très tôt l'empreinte gréco-romaine. Les peuples limitrophes, en dehors des Ligures au sud, sont celtiques : à l'ouest les Volques, et au nord-est les Allobroges, très proches des Eduens. Ci-dessus une vue contemporaine de Glanum, petite ville au commerce prospère, détruite par les Romains en – 125, puis reconstruite et active pendant l'époque gallo-romaine.

descendre à leur rencontre. Mais la bataille se solde par un désastre pour l'armée gauloise. Rome peut tranquillement instaurer la province romaine, la Narbonnaise, ou *Provincia*, territoire annexé bordant la

Après avoir battu les Romains en Norique, les Cimbres, redoutable peuple germanique, connurent une défaite finale à Vercelli dans le Piémont (gravure ci-contre), où ils furent écrasés par l'armée de Marius en – 101.

côte méditerranéenne de l'Italie aux Pyrénées ; le port de Narbonne en devient la capitale.

Un double danger : les Germains et Rome

A l'Est, une autre menace gronde : les invasions des Cimbres et des Teutons, qui durent de – 113 à – 101 : les Cimbres, venus des rives de la mer du Nord et du Jutland, et les Teutons, originaires des bords de la Baltique, peut-être déjà fixés dans la région du Main. Les Cimbres sont repoussés de Bavière et de Bohême par la tribu celtique des Boiens ; ils parviennent à l'est des Alpes, dans l'Etat celtique de Norique, et se dirigent ensuite vers l'Italie.

Marseille était l'aboutissement des axes de relations commerciales avec le Sud, que la conquête de la Narbonnaise avait intensifiées. Entre – 75 et – 60, un navire de 40 m de long coula tout près d'Hyères avec sa cargaison. C'est la plus grande épave antique trouvée au large de nos côtes. Fouillée à partir de 1972, elle s'avéra contenir 6 000 amphores à vin d'Italie disposées en trois couches, ainsi que des caisses de vaisselle en céramique.

Les Romains luttent longtemps sans succès
contre leur avancée, avant de les tenir
définitivement en échec à partir de – 102 – 101.
Toutefois la Gaule sort de cette épreuve
épuisée et totalement ruinée.

Les Suèves, autre peuple germanique,
pénètrent jusqu'en Alsace vers – 70. Vers
– 61 ou – 60, leur roi, Arioviste, que César
qualifie de brigand, inflige une sévère
défaite à un contingent gaulois. Du sud-
est de l'Europe surgissent d'autres
ennemis des Celtes, les Daces,
conduits par le roi Burbista. Les
peuples celtiques succombent à leur
attaques dans les plaines du Danube.
Vers – 60, établis entre Vienne et
Passau, les Daces concluent une
alliance avec les Germains d'Arioviste,
lequel a déjà regroupé d'autres tribus
d'Allemagne centrale et septentrionale.
Devant l'imminence du danger,
la grande tribu des Eduens sollicite
l'appui de Rome ; d'autres peuples
celtes réagissent différemment.

La dramatique migration des Helvètes

Ainsi, sous la menace croissante, les Helvètes, qui selon Posidonios sont «riches en or mais gens paisibles», décident en –58 d'émigrer vers le sud-ouest de la France. Originaires de l'Est, probablement de la Forêt-Noire, qu'ils ont commencé à quitter un demi-siècle plus tôt déjà pour fuir les Germains, leur exode est l'une des dernières migrations celtiques.

Ils sont des milliers à quitter leur village après y avoir mis le feu. Leur premier point de rassemblement est l'extrémité du lac Léman. Non loin de Genava, oppidum allobroge qui occupe une position stratégique, d'autres peuples voisins venus en masse les rejoignent. Le total général des émigrants s'élève à 368 000 âmes, dont 92 000 combattants. Ils n'ont qu'un seul but : traverser le Rhône sur le pont de Genava, et longer le fleuve vers le sud, pour rejoindre des terres d'accueil.

Or, Jules César, proconsul de la Provincia, a vent de leurs projets : arrivé à Genava, il fait aussitôt couper le pont.

Appelé au secours par les Eduens, César boute les Suèves hors d'Alsace en –58. A gauche, sa rencontre avec Arioviste, le cruel roi des Suèves.

Un grand personnage en chêne, daté vers –80 et supposé figurer une divinité tutélaire de Genava, a été extrait du port de Genève. La découverte d'une statue du même type a permis d'interpréter l'usage de torques comme celui de Bâle-Saint-Louis, aux dimensions étonnantes. Creux et terminés par de gros tampons, ces bijoux étaient autrefois montés sur un fer enrobé de résine et d'argile, limitant la quantité d'or, tout en obtenant un aspect volumineux.

Désespérés, les Helvètes incendient en –58 les remparts de Mont-Vully avant de partir pour Genève.

Les tentatives de négociations échouent. Les Helvètes tentent alors de passer par le Nord, à travers la terre des Séquanes, avec leur 2 800 chars à bœufs, mais sont attaqués et massacrés en pays éduen par les légions romaines. Divico, leur chef, demande une trève. César réclame des otages. Divico rétorque que les Helvètes ont l'habitude de prendre des otages et non point d'en donner : la guerre reprend de plus belle ! Le bruit court que les légions romaines affaiblies se réfugient vers Bibracte. Mais l'offensive des Helvètes tourne à la déroute, et ils finissent par capituler. César enjoint aux survivants de regagner leurs terres abandonnées et d'y reconstruire leurs maisons.

Pièce maîtresse des grands travaux de César en –55, le pont sur le Rhin devait lui permettre d'étendre ses conquêtes vers l'est.

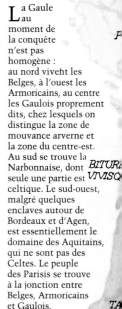

OSISMIENS

CORIOSOLITE

REDONS

VÉNÈTES

NAMNÈTE

La lutte pour l'indépendance

Appelé à la rescousse contre les Germains, César ne s'en retourne pas. Il a désormais pris pied en Gaule et a besoin d'asseoir sa position politique à Rome. Sans raison, il engage une campagne contre les Belges, peuple le plus puissant des Gaules ; certains, comme les Rèmes, surpris par cette attaque inopinée, se rendent. Les Belges rassemblent leurs hommes, mais leur armée est taillée en pièces sur l'Aisne et repoussée jusqu'à la Somme.

Dans le même temps, César, qui a essuyé de dures attaques de la part des Nerviens, envoie aussi de ses légions en Armorique pour soumettre les peuples maritimes, décimer leur flotte, et isoler la Celtique du Centre. Confiant en son étoile, César rêve de

La Gaule au moment de la conquête n'est pas homogène : au nord vivent les Belges, à l'ouest les Armoricains, au centre les Gaulois proprement dits, chez lesquels on distingue la zone de mouvance arverne et la zone du centre-est. Au sud se trouve la Narbonnaise, dont seule une partie est celtique. Le sud-ouest, malgré quelques enclaves autour de Bordeaux et d'Agen, est essentiellement le domaine des Aquitains, qui ne sont pas des Celtes. Le peuple des Parisis se trouve à la jonction entre Belges, Armoricains et Gaulois.

BITUR

VIVISQ

TA

MÉNAPES

NERVIENS

ÉBURONS

Portus Itius

MORINS

ADUATUQUES

Nemetocenna

ATRÉBATES

BELGIQUE

AMBIENS

TRÉVIRES

Samarobriva
(Amiens)

CALÈTES

Bratuspantium

VELIOCASSES

BELLOVAQUES

RÈMES

MÉDIOMATRIQUES

LEXOVIENS

Noviodunum

Durocortorum
(Reims)

AULERQUES
ÉBUROVIQUES

SUESSIONS

Lutecia
(Paris)

Metlosedum
(Melun)

AULERQUES
DIABLINTHES

LEUQUES

Agedincum
(Sens)

CARNUTES

SENONS

ULERQUES
ENOMANS

Vellaunodunum

LINGONS

Cenabum
(Orléans)

ANDES

Noviodunum

Alesia

Vesontio
(Besançon)

BITURIGES

Gorgobina

ÉDUENS

TURONS

Avaricum
(Bourges)

Noviodunum

Bibracte

Decetia

Cabillonum
(Chalon)

SÉQUANES

HELVÈTES

monum
oitiers)

GAULE   CELTIQUE

Matisco
(Mâcon)

AMBARRÈS

Genava
(Genève)

Gergovia

SEGUSIAVES

LÉMOVIQUES

Vienna
(Vienne)

NTONS

ARVERNES

PETROCORES

Uxellodunum?

CADURQUES

RUTÈNES

GAULE   TRANSALPINE

TAINE

AUSQUES

Tolosa
(Toulouse)

Massilia
(Marseille)

Narbo
(Narbonne)

conquérir la Germanie d'un côté et la Bretagne insulaire de l'autre. Mais c'est compter sans l'étonnante mobilité des Bretons et de leurs chars de guerre ! A son retour de Bretagne, fin −54, César constate une dégradation du climat en Gaule, due aux agitations orchestrées par les Carnutes et les Sénons, de même que chez les Eburons. Il tente de reprendre la situation en main. Afin de ne pas perdre son prestige, il annonce à Rome que l'ordre règne en Gaule ; mais, même si loin, la vanité de ses campagnes n'échappe pas et des pamphlets circulent...

Vercingétorix, l'homme de la dernière chance

Informés des critiques internes dont fait l'objet César, les Gaulois conspirent. Les Carnutes se proposent de proclamer la guerre nationale. Dans leurs forêts se réunit l'assemblée des druides. Les augures prédisent le succès de cette guerre sacrée pour l'indépendance. Un chef est choisi : Vercingétorix, un prince arverne, fils de Celtill, autrefois mis à mort par ses compatriotes pour avoir aspiré à rétablir la royauté. Tout jeune, Vercingétorix a suivi l'armée de César, parmi les contingents gaulois envoyés par les cités en gage d'obéissance. Dès qu'il est élu chef de la résistance gauloise, il

Cette monnaie d'or, frappée au nom de Vercingétorix, provient d'Auvergne, est datée de −52, et porte le portrait du jeune chef idéalisé. On connaît vingt-sept pièces de cette série.

Vercingétorix appelle les Gaulois à la défense d'Alise. Comme beaucoup de portraits de guerriers peints ou sculptés au XIXe siècle, cette peinture de Ehrmann (détail, à gauche) s'est inspirée non pas de l'équipement de l'époque de la conquête, mais d'objets anachroniques plus anciens d'au moins un demi-millénaire, sans doute en raison de l'état plus avancé des fouilles concernant le premier âge du fer. Le bracelet et le ceinturon en tôle de bronze estampée, l'épée à antenne, peuvent être datés aux environs de −600 ; la forme du casque, un peu plus ancienne encore, relève de la fin de l'âge du bronze en Italie. Le torque, par contre serait le seul accessoire du second âge du fer.

entreprend de se rallier la majeure partie de la Celtique du Centre et de l'Armorique, et d'organiser toute la Gaule pour le grand soulèvement. Il a des plans précis : couper la communication dans l'armée romaine entre l'Italie et la Gaule, en lançant une offensive simultanée contre la Narbonnaise, les Eduens et les légions de César sur la route de la

Cette monnaie d'argent des Eduens, datée vers − 50, porte, gravé sur l'avers, le nom de leur chef Dubnorex (Dumnorix). Sur le revers un personnage triomphant tient d'une main la tête d'un ennemi vaincu, de l'autre un carynx (sorte de trompette) et un emblème au sanglier. Dumnorix, d'abord allié de César, se rallia finalement à la cause de ses compatriotes.

Saône. Mais la célérité de ce dernier déjoue ses plans ! La Provincia a le temps de préparer sa défense et Vercingétorix doit se replier en pays Arverne.

Les Bituriges ne veulent pas sacrifier Avaricum (Bourges), en appliquant la technique de la terre brûlée préconisée par Vercingétorix. Malgré une résistance héroïque, la ville est vaincue et 40 000 de ses habitants périssent. Ce désastre sert de leçon ; l'autorité de Vercingétorix en sort désormais raffermie.

La chevauchée fatale

César entreprend alors le siège, qui s'avère tactiquement très difficile, de la principale citadelle, Gergovie. D'autre part, il est trahi pas ses alliés de

Les Romains avaient mis sur pied un important dispositif de siège devant la ville d'Avaricum, chère au cœur des Bituriges, qui finit par tomber en − 52.

toujours, les Eduens, qui massacrent tous les Romains implantés sur leur territoire... César, dérouté, décide de se replier avec ses armées dans la Provincia. Au moment précis où les Gaulois sont sur le point de chasser les Romains de leur pays, une folle équipée fait basculer le destin.

Vercingétorix, resté en arrière avec toute son infanterie, aurait lâché trois corps de sa cavalerie pour harceler les Romains et s'assurer de leur départ. Sans doute enivrés par la victoire, les Gaulois se jurent de ne pas rentrer sans avoir traversé deux fois la colonne ennemie. Mais c'est oublier la présence des auxiliaires germains venus à la rescousse de César, et l'expérience de l'armée romaine qui ne se laisse jamais surprendre. Lestroupes romaines se retournent et pourchassent les cavaliers

Maquette d'Alésia, réalisée sur les ordres de Napoléon III (ci-dessus). C'est là, sur le mont Auxois, à la limite des territoires des Lingons et des Eduens, que vint se réfugier Vercingétorix en –52. Les armées romaines l'assiégèrent : tout autour de la ville forte ils installèrent une double ligne de défense appuyée sur deux fossés, ainsi qu'une troisième ligne, à l'extérieur, dirigée contre une armée de secours. Entre les deux fossés tout un réseau défensif d'aiguillons fut mis en place, et des trous aménagés dans le sol permettaient à chaque instant d'épier les mouvements des Gaulois.

gaulois jusqu'au camp de Vercingétorix. Désemparés, les Gaulois se réfugient dans la citadelle des Mandubiens, Alésia...

Les dernières heures de la Gaule libre

Vercingétorix renvoie sa cavalerie avec mission de lever les hommes de chaque cité, pour un ultime combat. Lui-même, avec 80 000 guerriers de haut rang, muni de trente jours de vivres, s'enferme dans Alésia, attendant le renfort de toute la Gaule. Les Romains construisent autour de la citadelle un réseau de lignes de défense que ni les assiégés ni les renforts ne parviendront à franchir. L'ordre de Vercingétorix est mal compris, la levée générale tarde. Lorsqu'enfin le secours arrive, les assiégés sont déjà à bout de forces. Plusieurs combats s'engagent, sans véritable coordination stratégique. Les forces gauloises sont lamentablement mises en déroute. Les divers contingents fuient et repartent chacun vers sa cité. Pour Vercingétorix c'est l'abandon, la défaite, le désespoir.

Pendant les mois qui suivent, César prend à cœur de régler par les armes les différents conflits soulevés par Bituriges, Carnutes, Bellovaques. Dans le Poitou, le Limousin, la région de Cahors, il rencontre également d'ultimes résistances, par exemple à Uxellodunum. Toute la Gaule est ruinée.

Durant le Ier siècle av. J.-C., l'Europe celtique connaît donc une situation des plus instables. Son territoire s'est considérablement réduit. Après la Gaule, la Pannonie sera occupée par les Romains en – 12 ; puis les Germains feront disparaître la civilisation celtique, déjà transformée par les Daces, en Bohême et en Moravie.

Entre les centurions qui gardent l'entrée du camp romain (ci-dessous, de part et d'autre), se déroule la scène désormais classique de la reddition de Vercingétorix. Monté sur son cheval, il a franchi au galop l'intervalle des deux camps. Il a décrit, par la droite, un cercle autour du tribunal, comme pour lier magiquement son vainqueur, puis sans un mot il a jeté ses armes aux pieds du proconsul médusé. Si César n'a relaté que sèchement le sacrifice de Vercingétorix, de Tite-Live à Plutarque et Dion Cassius, la noblesse de son geste fut érigée au statut de légende, d'autant qu'en détournant l'attention des Romains, le chef avait permis à nombre de ses compagnons de s'enfuir (en haut).

Après avoir d'abord pris modèle sur les statères de Philippe de Macédoine (en bas, à droite), les artistes-graveurs de monnaie laissent libre cours à leur créativité. A l'avers, les têtes arborent des délires de chevelures bouclées ; l'attelage conventionnel du revers fait place à des êtres fantastiques (cheval surmonté d'un oiseau géant, cheval à tête humaine, etc.). Les premières émissions produisent des monnaies assez lourdes et de composition pure. Certains peuples, tels les Parisii, ont des statères en or jusqu'à la conquête ; d'autres utilisent des alliages ternaires cuivre-or-argent ou produisent des pièces en argent au titre de plus en plus bas ; d'autres enfin, comme les Cénomans, conservent en surface l'aspect de l'or par

placage sur un alliage non précieux. En dehors de leur région, les monnaies n'avaient de valeur que par leur poids de métal noble, d'où la présence fréquente de petites balances dans les habitats.

Les îles Britanniques

Dans le bassin
de la Tamise, au
Ve siècle av. J.-C.,
on assiste à un
premier afflux de
Celtes du continent.
Un matériel fort
semblable à celui de la
Champagne à la même
époque y a été retrouvé :
poignards à fourreaux
décorés, fibules fabriquées
dans des ateliers marniens...
Des groupes venus de
Belgique auraient celtisé les
îles. On retrouve chez deux
peuples insulaires les noms
de tribus continentales : les

Parisii (de la région de Paris) dans le Yorkshire ; les Atrebates (de la région d'Arras) au sud de la Tamise, dans le Hampshire et le Sussex. Commios, le roi des Atrebates, qui seconde César en – 55-54, deviendra ensuite l'un des chefs de la coalition gauloise et se réfugiera pour finir dans l'île de Bretagne !

Ces populations insulaires opposeront longtemps leurs armées de chars aux prétentions de César. Finalement les légions de Claude débarqueront en l'an 43 de notre ère. Mais toute résistance n'est pas morte : en 61 un soulèvement commandé par la reine Bouddica attaque les villes de Camulodunum (Colchester), Londinium (Londres), massacre des garnisons romaines entières, mais finit cependant par être réprimé. En 77 la conquête s'étend en île de Bretagne, exception faite des hauteurs du pays de Galles et du nord de l'Ecosse, ainsi que de l'Irlande, qui demeurera à jamais profondément celtique. Dans cette île rude, où les souverains occupent des résidences fortifiées – mais où l'établissement d'oppidums est inconnu –, l'écriture sera introduite tardivement, en même temps que le christianisme, par saint Patrick en 432. La littérature témoignera de l'héritage celte. Les poètes, nouveaux gardiens des vieilles épopées, sauront faire coexister la transmission manuscrite avec la tradition orale issue de l'art des bardes.

D'une Bretagne à l'autre

En Bretagne continentale les petits motifs géométriques poinçonnés sur la céramique se retrouvent sur certaines armes de prestige comme le poignard de Kernavest ou le casque de Tronoën (Finistère). Des stèles de granit sculptées – celle de

Bouddica, reine des Icènes, au sud de l'Angleterre, se suicida l'an 61 de notre ère, après avoir vainement déclenché une révolte contre les Romains.

Nombreuses sur les côtes irlandaises, les forteresses sur promontoire pourraient remonter à l'âge du fer celtique. En haut à gauche, la fortification en pierre sèche de Oghil, datée entre le Ier et le Ve siècle apr. J.-C.

Ce casque à cornes (page de gauche) trouvé près de Waterloo Bridge à Londres, daté du début de notre ère, a été utilisé comme un dépôt votif à la rivière. Spécimen très rare, son aspect frappant lui a valu d'être largement repris dans l'imagerie populaire des Gaulois. Quelques coiffures à deux ou trois cornes de bronze, trouvées en Irlande, passent pour des couronnes sacrées.

Sainte-Anne à Trégastel (Côtes-d'Armor),
du IVe siècle, ou le bétyle de Kermaria
en Pont-l'Abbé (Finistère) orné
de panneaux géométriques –
permettent d'établir un lien
avec l'art insulaire : cinq stèles
décorées d'Irlande, datées entre
le IIIe et le Ier siècle av. J.-C.,
paraissent en effet issues d'une
inspiration commune.

Les premiers témoignages
de l'art celtique des îles
Britanniques ne sont pas
antérieurs au IVe ou même au
IIIe siècle av. J.-C., et ce n'est qu'au
IIe siècle que l'art britannique
atteint une homogénéité de style
parfaitement accomplie, dont
on trouve trace sur les armes
(fourreaux d'épée et grands
boucliers). Au Ier siècle, deux
courants se font jour avec, d'une
part, la multiplication des
éléments figurés humains ou
animaux, et, de l'autre,
l'apparition de toute une série de
dessins et de volumes abstraits,
conditionnés par l'emploi du
compas. L'art des miroirs illustre
le summum de cette technique
raffinée. Alors que sur le continent
les conventions de l'art gréco-romain
imposent peu à peu une tendance à la
sobriété des décors, un style dit sévère, la
tradition celtique demeure ancrée dans l'île de
Bretagne pendant de longues années, même après sa
conquête partielle.

En Irlande, à l'écart de la romanisation, la celticité
demeurera intacte, et l'art du second âge du fer se
prolongera insensiblement dans l'art chrétien. Des
petits objets de bronze – boîtes, épingles, mors de
cheval – y perpétuent les motifs décoratifs celtiques.
De grands disques de bronze gardent encore de nos

Trouvé dans
la Tamise, le bouclier
de Battersea n'a sans
doute jamais servi au
combat. Avec son décor
symétrique, ses
incrustation de pâte de
verre et ses entrelacs, il
est spécifique de l'art
celtique britannique
au début de notre ère.

L'art des miroirs de bronze au revers somptueusement travaillé a été une spécialité de quelques ateliers du sud de l'Angleterre, entre le Ier siècle av. J.-C.et le Ier siècle apr. J.-C. Au-dessus du manche ajouré s'étale un décor sophistiqué laissant d'harmonieuses plages lisses entourées de motifs de vannerie striée.

Énigmatiques, les pierres sculptées pourraient être les vestiges d'une antique connaissance sacrée de l'univers. Les pierres d'Irlande sont en général plus récentes de trois à quatre siècles que les exemplaires d'Armorique. Petite pyramide trapue, le bétyle de Kermaria (Finistère, IVe siècle av. J.-C.) porte sur chacune de ses quatre faces un décor différent. La ronde pierre de Turoe (Galway, Ier siècle av. J.-C.) est sculptée de motifs végétaux, identiques à ceux de bijoux continentaux plus anciens.

jours le secret de leur usage passé. Des bijoux du haut Moyen Age irlandais, notamment longues épingles à anneau en oméga ou appliques, porteront encore des décors inspirés de l'âge du fer : têtes de palmipède, dessins curvilignes, triscèles, esses... Ce goût celtique pour la virtuosité décorative se perpétuera dans l'art de l'enluminure.

Les oppidums, villes fortifiées

Et, malgré tout, les premières villes celtiques protégées par leur *murus gallicus*, se développe un peu partout en Gaule. Une vie urbaine s'y organise avec des quartiers spécialisés, répartis le long de rues : maisons d'artisans, résidences et bâtiments à fonction religieuse, aires de rassemblement. Une sorte de bourgeoisie, qui produit et consomme des denrées de semi-luxe et détient le pouvoir politique, émerge de ce contexte urbain. L'oppidum central remplit la

Violets (au manganèse), verts (au cuivre), ou bleus (au cobalt), décorés de spirales jaunes (au plomb), ou même transparents,

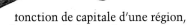

fonction de capitale d'une région, où la monnaie se frappe et s'échange. La multiplication des émissions monétaires constitue, d'ailleurs, un important indice du morcellement des territoires et de l'autonomie grandissante de petites unités politiques différenciées.

Le réseau de communications fluviales ou terrestres est en pleine expansion. Les productions artisanales de série (comme celle des fibules) et l'acquisition de produits méditerranéens (vin, huile) se généralisent et trahissent l'influence grandissante du monde romain, tout proche.

Une partie de la population doit vivre du commerce, mais on ignore si les artisans sont libres, indépendants ou attachés à la classe nobiliaire ou équestre ? Un des rôles des villes fortifiées consiste à protéger les points stratégiques de cette économie fragile, en constituant des haltes, des pôles d'attraction sur les grandes voies de communication,

les anneaux de Mathay (Doubs, à droite) prouvent que les verriers d'alors savaient manipuler les oxydes.

Au sommet, un sanctuaire dominant les résidences des nobles éduens ; à la périphérie, les quartiers artisanaux et les places de marché. A côté d'un bronzier se trouvait l'atelier d'un émailleur, avec ses creusets, ses colorants, ses pinces de fer et les déchets de la fabrication (ci-dessus). Bibracte est le seul oppidum a avoir livré tant de vestiges du travail du verre.

Bibracte oppidum de 135 ha sur le mont Beuvray, capitale des Eduens, connut des épisodes historiques majeurs : s'y tint l'assemblée des chefs gaulois qui proclama Vercingétorix chef des armées ; quant à César, il y prit ses quartiers d'hiver, après Alésia, et y commença la rédaction de ses *Commentaires*.

voire de défense pour la population locale. Mais qui dirige ces oppidums ? Des rois, des princes, ou une aristocratie ? Il semble que la situation soit différente selon les régions ; d'une façon générale le pouvoir semble désormais aux mains de nobles commerçants.

L'abondance des richesses naturelles

Dans les campagnes s'instaure l'exploitation des carrières : d'argile pour la céramique ou les moules de métallurgistes,

Le *murus gallicus* (reconstitution ci-dessous) est un type de rempart propre aux Celtes. L'armature est en bois, faite de poutres qui s'entrecroisent en rangées successives, séparées par des couches de terre ou de pierraille. De longues fiches en fer fixent les poutres entre elles à chaque intersection. Un parement de gros blocs de pierre jointifs au milieu desquels apparaissent les extrémités des poutres constitue la façade.

Parmi les artisans, le forgeron occupe une place de choix. De très nombreux outils et des armes sont produits en fer à partir du IIe siècle av. J.-C., comme les haches, mais bien sûr aussi les épées, les lances, les éléments de boucliers et les chaînes qui servent à attacher le fourreau de l'épée au ceinturon; des bijoux également, parmi lesquels beaucoup de fibules. La puissance de l'aristocratie se base sur la possession du fer, qui permet la production non seulement de l'armement, mais de tout l'outillage agricole indispensable pour l'exploitation des terres. Tout à fait à gauche, sur une lame d'épée en fer datée vers – 100, une estampille ovale présente un emblème de capridés affrontés, probablement la marque de l'armurier, et son nom, Korisios, inscrit en lettres grecques (c'est l'une des plus anciennes traces d'écriture au nord des Alpes).

de marne pour répandre dans les champs, de pierre pour les besoins de l'architecture ou de la sculpture. Les bois, naturellement abondants, même si leur exploitation entraîne parfois une déforestation excessive, sont utilisés avec discernement selon leur usage. Les Gaulois ont inventé le tonneau ; ils

Le site gaulois de Villeneuve-Saint-Germain (à gauche) est un oppidum à fleur d'eau, inscrit dans un méandre de l'Aisne, barré au sud par un rempart. Intensément occupé après la conquête romaine, entre −50 et −15, il est représentatif de l'habitat en agglomérations à la fin de l'indépendance, avec de longues bâtisses couvertes de chaume percées de rares ouvertures. Les fouilles récentes ont permis de localiser les ateliers des fondeurs de monnáie, des bronziers, des forgerons, des charpentiers, une pelleterie, des restes de perles de verre et de rouelles.

excellent dans la fabrication des chars et des chariots.

La ferme indigène est le cadre essentiel des activités agricoles, qui se développent particulièrement bien dans une campagne verdoyante et hospitalière, parsemée de bois et de sources. La chasse n'occupe qu'une place mineure dans l'alimentation ; c'est surtout l'élevage qui produit des

Couteaux et forces en fer de la fin de l'époque celtique. Les forces sont des cisailles servant à tondre la laine des moutons.

animaux de boucherie, mais aussi de trait. Porcs, bœufs, moutons, chèvres, chevaux, ânes et chiens sont de taille inférieure aux races que nous connaissons aujourd'hui. Les animaux pâturent au milieu des bois et les cochons se nourrissent de glands.

Grâce à l'industrie du fer déjà très performante, l'outillage agricole est complètement constitué au Ier siècle av. J.-C., identique en beaucoup de points à celui que les paysans utiliseront jusqu'au début du XXe siècle. Dans certaines régions on fume et on amende les terres. La charrue, à côté de l'araire, améliore le rendement. A la faux et à la faucille se substituent même parfois des moissonneuses tractées appelées *vallus*. Les villages se multiplient surtout dans les plaines : maisons de bois couvertes de chaume, silos à grains enfouis dans le sol, enclos pour le pacage du bétail. Certaines fermes isolées et fortifiées se doublent parfois de résidences aristocratiques, comme celle de Paule (Côtes-d'Armor).

Dans des fermes expérimentales comme celle ci-dessus, en Irlande, des études menées sur plusieurs années permettent de retrouver les techniques de culture, d'élevage, de construction et d'artisanat.

Améliorant la cuisson, les fours à deux chambres séparées comprennent, en bas, l'espace de combustion et, au-dessus, celui où l'on dispose les pots à cuire, souvent en très grand nombre.

Terrifiantes sont les descriptions antiques du bois des Celtes, résidence de leurs dieux. Le vent ne s'abat pas sur ses futaies ; les oiseaux craignent de se percher sur ses branches et les bêtes sauvages de coucher dans ses repaires, parmi les ombres glacées impénétrables au soleil... Monuments et pratiques religieuses révèlent la complexité de l'esprit celte qui, pénétré de la cruauté des exigences divines, reste confiant dans l'immortalité de l'âme.

CHAPITRE V
L'UNIVERS DES DIEUX

Dieu guerrier de 70 cm de haut, la statue en tôle de bronze à droite a été récemment découverte, dans le sanctuaire de Saint-Maur-en-Chaussée. Elle comprend une forte proportion de zinc, analogue à celle des monnaies du Ier siècle apr. J.-C. Pareilles à des miniatures de son bouclier, on a retrouvé des pièces hexagonales déposées en offrandes. La coiffure symétrique, en mèches épaisses, se retrouve dans la statuaire de pierre du Midi, en particulier sur le chapiteau aux têtes coupées du sanctuaire d'Entremont (Bouches-du-Rhône, à gauche), daté du IIe siècle av. J.-C., et où se fondent les influences de l'Italie classique et des Celto-ligures.

Les sanctuaires celtiques sont avant tout des espaces sacrés, coupés du reste du monde. Souvent simples lieux naturels (montagne, lac, confluent, clairière), ils peuvent aussi se reconnaître par des aménagements architecturés dont ne subsistent, la plupart du temps, que d'humbles traces de trous de poteaux, vestiges de constructions en bois. Quatre types de sanctuaires sont distingués par l'archéologie : les *Viereckschanzen* ou enceintes quadrangulaires, les sanctuaires de type belge ou picard, dont on connaît des exemples dans les régions de Beauvais et d'Amiens, les sanctuaires celto-ligures du Midi, enfin les sanctuaires de source.

Mystérieux Viereckschanzen

De forme carrée comme leur dénomination allemande l'indique, délimités par un ou plusieurs fossés ou une levée de terre, dans lesquels ne subsistent que des vestiges ténus, essentiellement de la céramique, on les repère du centre de la France jusqu'en Bohême et en Moravie. Bien étudiés en Allemagne du Sud, ils semblent avoir été utilisés entre le IVe et le Ier siècle av. J.-C. ;

Des puits cultuels sont aménagés par les Celtes dès le IVe siècle av. J.-C. dans des sanctuaires comme les *Viereck-schanzen*. Cette coutume de faire disparaître dans les profondeurs de la terre vestiges de sépultures et offrandes diverses, ossements d'animaux, céramiques, objets en métal ou en bois, se perpétue à l'époque gallo-romaine. En témoignent les puits funéraires de Vieille-Toulouse et ceux (ici) du Bernard-en-Vendée, où plus d'une vingtaine ont été découverts depuis 1858.

Trouvés au fond d'un puits du IIe siècle av. J.-C. dans le Wurtemberg, des animaux cambrés sur leurs pattes de derrière devaient faire partie d'un ensemble sculpté symétrique. A gauche un cerf évoquant le dieu Cernunnos.

chaque année la photographie aérienne en détecte davantage. A l'intérieur de ces enclos les aménagements complexes semblent n'obéir à aucune règle. Seuls les plus petits (d'environ 60 mètres de long) contiennent des vestiges de construction dans leur aire centrale réservée aux cérémonies. Des puits cultuels y sont parfois creusés.

Théâtres de cérémonies macabres chez les Belges

Certains enclos dits belges ou picards, fréquentés entre les IIIe et Ier siècles av. J.-C., livrent des offrandes par milliers. De 30 à 50 mètres de côté, entourés de fossés et d'un talus surmonté d'une palissade, ils comportent en leur centre un temple en bois ouvert à l'est, originellement décoré de peintures ou de sculptures, et aux parois chargées de prestigieuses panoplies de guerriers. Selon César et Tite-Live, ces trophées accrochés par la tribu des vainqueurs pouvaient demeurer plusieurs dizaines d'années sur les murs du sanctuaire, jusqu'à ce qu'ils tombent au sol ; ils étaient alors cassés et jetés dans le fossé de clôture.

A Gournay-sur-Aronde (Oise), le sanctuaire situé dans l'oppidum, non loin d'un lac marécageux, livre des armes en fer et des ossements d'animaux, reliefs de

Rendues inutilisables, ces épées ployées des sanctuaires belges, comme les nombreux exemplaires trouvés dans des tombes du IIIe siècle, sont chargées de symboles. On admet généralement qu'elles ont été «tuées», comme pour accompagner dans la mort leur propriétaire défunt.

sacrifices nombreux dispersés dans des fossés périphériques. L'entrée, minutieusement aménagée à une interruption du fossé, consiste en un porche surmonté de trophées, parmi lesquels des crânes humains au regard vide et effrayant.

Ossements inventoriés

Le sacrifice des animaux revêt des formes variées, selon l'animal, la saison et la divinité honorée. Le bœuf est le plus fréquent, notamment les vieilles bêtes; beaucoup de taureaux aussi, abattus à coups de hache sur la nuque ou sur le front. La dépouille complète, déposée dans la grande fosse du temple, y reste jusqu'à ce que les os se détachent. Le crâne est alors exposé avec les offrandes guerrières, et la carcasse jetée dans le fossé. Le cheval sert également aux sacrifices. Moutons et porcs sont réservés à la consommation de gigots et de jambons lors des festins rituels tenus sur place.

Les ossements humains ont aussi un rôle cultuel. A Ribemont-sur-Ancre (Somme), l'un des plus grands sanctuaires ruraux de Gaule, avec 800 mètres de long et un plan complexe, fut érigé dès le IIIe siècle av. J.-C. Là, des os longs d'un millier d'invididus de quinze à vingt ans s'empilent et s'entrecroisent en un sinistre monument cubique de 1,60 mètre de côté. Des ossuaires communautaires constituent des sortes de

En Gaule, les chevaux domestiques sont apparus à l'âge du bronze. Ils étaient à l'époque d'une taille comparable à celle des grands poneys d'aujourd'hui. César raconte qu'ils étaient la grande passion des Gaulois, qui en importaient même de races plus grandes. La valeur attachée à ces bêtes se traduit par des traitements particuliers lors de leur mort : ils n'étaient ainsi ni consommés ni jetés dans des dépotoirs, mais soigneusement enfouis dans des fosses.

Des rites funéraires très particuliers, ainsi que des traces de sacrifices ont été relevés sur le site de Ribemont-sur-Ancre (Somme, ci-dessus). Une levée de terre marquait le bord du fossé où des cadavres d'hommes et de femmes, décapités et découpés, avaient dû être exposés pendant plusieurs dizaines d'années à la fin du IIIe siècle av. J.-C. Un millier de sujets jeunes et sans pathologie apparente avaient été sacrificiés. Leurs os longs (bras et jambes, ci-contre), rassemblés autour d'un poteau central, où des armes et des ossements de chevaux avaient été insérés constituaient un étrange monument cultuel, cubique de 1,60 m de côté.

piliers aux quatre coins internes de l'enclos. Entre chacune de ces colonnes d'ossements, des cadavres découpés jonchent le sol ; les crânes ont été détachés et préparés. Les circonstances de la mort de ces individus demeurent mystérieuses.

Le culte du héros

Vers le milieu du IIe siècle av. J.-C., Nicandre de Colophon note que les Celtes recueillent des oracles auprès des tombes de leurs guerriers défunts, où il passent des nuits entières.

Dans le Midi de la France, toute une statuaire en pierre retrouvée dans des sanctuaires montre le développement de l'ancien culte du héros (déjà répandu au VIe siècle, comme le laisse supposer la stèle de Hirschlanden).

Entremont, Roquepertuse et Glanum sont parmi les plus connus de ces sanctuaires celto-ligures liés à des oppidums aux confins du monde celtique. Là, des piliers en pierre creusés d'alvéoles pour y loger des crânes humains, des linteaux décorés, des sculptures peintes de dieux, de guerriers revêtus de cuirasses ou assis en tailleur, et d'animaux (oiseaux, monstres) prenaient place, à l'origine, dans un complexe architectural. Le sanctuaire d'Entremont se présente comme un édifice allongé en forme de portique, aux colonnes carrées ayant supporté une toiture disparue. Celui de Roquepertuse, aménagé sur deux terrasses et en pleine activité au IIIe siècle, fut incendié au IIe siècle, époque de la romanisation. Aucun reste sacrificiel n'a pu être mis au jour, ni autel ni fosse, structures propres au culte. La présence de crânes humains

exposés permet de faire un rapprochement avec les sanctuaires de type belge; cependant, la statuaire suggérerait qu'ils étaient plutôt dédiés à la gloire de héros ou d'ancêtres.

Chasseurs de têtes ?

La tête a une place de choix dans l'art et la religion celtiques. La tête coupée aux yeux mi-clos, parfois sans bouche, sculptée dans la pierre, est un thème fréquent dans ces sanctuaires du Midi; le héros la saisit par les cheveux ou pose une main sur elle : souvenir de ses exploits guerriers ? symbole de sa propre mort ?

On n'a pas encore trouvé d'explication valable à ces crânes humains exposés dans ces sanctuaires : s'agit-il de victimes choisies dans la tribu ? de têtes d'ennemis décapités ? On raconte bien qu'au sortir des

Yeux mi-clos enfoncés dans leur orbite, les cheveux longs et la bouche formant un rictus, la «tête coupée» d'Entremont (Bouches-du-Rhône, à gauche) reçoit l'imposition d'une main ouverte. Ce geste pourrait évoquer la prise de possession du vainqueur sur la dépouille de l'ennemi vaincu. La statue la plus connue du même sanctuaire (au centre), haute de 70 cm, est celle d'un guerrier accroupi et portant cuirasse. Ci-contre un détail de pilier sculpté de deux têtes stylisées. La question de savoir si ces œuvres d'Entremont ont été réalisées avant ou après la conquête de la Narbonnaise reste encore en suspens.

Également dans les Bouches-du-Rhône, le sanctuaire de Roquepertuse, lieu de rassemblements religieux des Salyens, a été aménagé sur une petite colline avant d'être anéanti par les Romains. Les statues de guerriers héroïsés, les têtes coupées, nichées dans les piliers, rappellent les rites proprement celtiques, même si l'ambiance culturelle générale est méditerranéenne.

combats les guerriers celtes se livraient à la chasse
aux crânes : ils suspendaient au cou de leurs chevaux
les têtes des ennemis tués et les clouaient ensuite aux
portes de leurs maisons, comme trophées. Les têtes
de chefs illustres étaient conservées dans l'huile de
cèdre et exhibées avec orgueil aux étrangers !

Les sanctuaires celto-ligures reflètent bien en tous
cas la fascination sanguinaire de la religion celtique,
exigeante et sans pitié, pour ces héros divinisés.

L'eau divine

«Une eau abondante tombe des sources noires
et de tristes statues de dieux, informes, se dressent
sans art sur des troncs coupés ; la moisissure même et
la pâleur qui apparaît sur ces arbres pourris frappent
de stupeur... Les peuples n'approchent pas de ce lieu
pour y rendre leur culte ; ils l'ont cédé aux dieux»,
rapporte Lucain, poète latin du Ier siècle apr. J.-C.
Sources, étangs, grottes, puits et lacs, réceptacles de
l'or des sacrifices, sont en effet des lieux sacrés
privilégiés : les sources de Chamalières et celles de la
Seine ont servi de sanctuaires où furent déposés des
centaines d'ex-voto sculptés en bois, des bijoux, des
monnaies, postérieurs pour la plupart à la conquête.

Les Gallo-romains ne font que perpétuer un culte
qui remonte à l'âge du bronze et fut largement
pratiqué par les Celtes. La station de La Tène, sur
le lac de Neuchâtel, en Suisse, est l'un de ces vastes
sanctuaires de plein air, réapparu lors de la baisse du
niveau des eaux à la fin du siècle dernier : non loin
d'un hameau, deux ponts passent sur l'antique rivière
Thielle et sont les points d'offrande de centaines
d'armes en fer, en particulier des épées ; par contre,
les parures sont rares.

De nombreux squelettes humains
portent des traces de lésions,
permettant d'écarter l'hypothèse
d'une mort naturelle. Les crânes
de bovidés et d'équidés,
soigneusement sélectionnés,
sont conservés
préférentiellement, au
détriment des os longs...

Offrandes de bijoux

Les bijoux rassemblés en offrandes, notamment les trésors de torques en or, correspondent à un rite pratiqué à travers toute l'Europe celtique, surtout entre le IVe et le Ier siècle. Le trésor d'Erstfeld (canton d'Uri), abandonné dans un col des Alpes au cœur de la Suisse, évoque au mieux ces sacrifices à la Nature : là, torques et bracelets en or décorés de figures mythologiques furent consacrés à une divinité de la montagne.

Vêtus, à la façon des pèlerins, de la cape à capuchon typiquement gauloise, ou portant le torque traditionnel, telles sont (au centre) les statues de bois du Ier siècle apr. J.-C. déposées en ex-voto dans les sources de la Seine. En bas, l'étrange bateau miniature en or, avec son mât et ses rames articulées, fait partie du trésor de Broighter, en Irlande, du Ier siècle av. J.-C. Parmi d'autres bronzes de Neuvy-

En Tchécoslovaquie le trésor de Duchkov, trouvé dans une source, comme celui de Lauterach, en Autriche, contiennent en abondance des parures féminines, en particulier des fibules. Des concentrations particulières de trésors apparaissent, dans la région de Toulouse, ou dans le sud-est de l'Angleterre. Ainsi, à Snettisham dans le Norfolk, au moins huit trésors furent enfouis les uns à côté des autres. Le dernier découvert, en 1990, représente 35 kilos de métal précieux, le plus souvent de bas alliages cuivre-or-argent.

en-Sullias (Loiret), animaux et personnage masculin, la danseuse nue effleure le sol avec la grâce de ses 13 cm. Cette liberté de style permet de dater l'œuvre de la fin du Ier siècle av. J.-C., alors que l'ensemble du trésor semble avoir été enfoui au IIIe siècle apr. J.-C.

Monnaie et religion

Les premières monnaies d'or émises par les Celtes à
partir du IVe et surtout du IIIe siècle av. J.-C. jouent un
rôle dans les offrandes religieuses et sont souvent
associées aux torques : à Tayac (Gironde), à
Niederzier (Rhénanie), à Snettisham, par exemple.
Quelques bribes de
la mythologie sont
saisissables à travers elles.
Sans doute chargés de sens,
certains motifs ont de quoi
surprendre, en particulier
dans les émissions
armoricaines : têtes
d'homme avec

un rayon sortant du crâne
ou du front, arabesques perlées
terminées par de petites têtes
flottantes, personnages contorsionnés, têtes à
l'œil monstrueux, attelage fabuleux au cheval
à tête humaine, etc.

Parmi les premières monnaies d'or celtiques
émises entre l'Allemagne du Sud et la Suisse,
en particulier par les tribus des Boïens,
certaines, de forme convexe et frappées de
motifs magiques (trois globules, torque à
extrémités bouletées), furent amassées en
trésors d'offrande. Elles réapparurent
aux yeux médusés des paysans du
XVIIIe siècle, souvent après que de
grosses pluies eurent raviné les
champs. Ils les baptisèrent «coupelles

Arbrisseau sacré
trouvé sur
l'oppidum de
Manching (Bavière) :
cette branche faite
de bois plaqué
présente
des tiges où sont
insérées des
feuilles de lierre
en bronze plaqué
d'une fine pellicule
d'or. Cet objet de culte
qui évoque l'Arbre
sacré avait été caché
soigneusement dans
un coffre de bois au
IIIe ou IIe siècle av. J.-C.

à l'arc-en-ciel», imaginant un lien entre ces apparitions simultanées.

Divinités secrètes

Les Celtes pratiquent des cultes naturistes, dédiés au ciel, aux astres, à la terre, aux collines, aux montagnes, aux forêts et aux clairières, voire à certains arbres, aux rivières, aux lacs, à la mer, aux animaux symboles de force... A la fin du IIIe siècle, l'*Anthologie grecque* aurait fait mention du «Rhin jaloux», auquel les Celtes demandent de statuer sur la légitimité de leurs nouveau-nés, tandis qu'un chef gaulois vainqueur en Italie du Nord se targuerait d'être le fils du Rhin. Les noms des tribus eux-mêmes sont éloquents : les Eburones sont les ifs, les Tarbelli les taureaux; de même que les noms de certains personnages tels Brannogenos, fils du corbeau, Matugenos, fils de l'ours...

Brennos, dit-on, éclata de rire lorsqu'on lui décrivit le temple de Delphes, à l'idée que les Grecs croyaient que les dieux avaient une forme humaine, qu'ils figuraient en bois et en pierre. Car les Celtes répugnent généralement à représenter leurs dieux. Si cette situation est peut-être due à l'influence des druides, gardiens jaloux du contact avec les divinités, elle correspond aussi à un goût millénaire pour l'abstraction. Cependant, au moment de la conquête les représentations divines deviennent déjà très répandues. Plus tard, les récits légendaires des Celtes insulaires fourmillent d'allusions à des figurations divines telles qu'il dut en exister sur le continent.

Portraits de dieux sanguinaires

Certains peuples gaulois apaisent par d'affreuses immolations le cruel Teutates et l'horrible Esus. Ces dieux apparaissent redoutables, avides de sang humain. Des textes médiévaux relatent les sacrifices qui leur sont offerts, selon leurs préférences. Pour Teutates, un homme est plongé

Les «coupelles à l'arc-en-ciel» (à gauche), abondantes en Allemagne du Sud au IIIe siècle av. J.-C., avaient sans doute une valeur plus magique qu'économique. Torques, ensemble de trois boules et autres, les décorent, composant une grammaire sacrée.

Nous ne connaissons pas le nom de cette divinité d'Euffigneix (Haute-Marne), de la fin du Ier siècle av. J.-C., statue-pilier en calcaire découverte dans une fosse. Le travail fait penser à celui du bois, support sans doute fréquent pour sculpter ce personnage au sanglier, qui porte le torque, emblème divin.

dans un bassin jusqu'à ce qu'il étouffe ; pour Esus, on suspend un homme à un arbre et on le met en pièces ; pour Taranis enfin, on en brûle plusieurs dans un tronc d'arbre creux...

César, dans *La Guerre des Gaules*, dresse le catalogue des divinités honorées par ses ennemis. Il les désigne cependant, pour des raisons stratégiques, par leur nom romain : Mercure, l'inventeur des arts, protecteur des routes et du commerce, Apollon qui chasse les maladies, Minerve, Jupiter...

A propos de Mars il ajoute que les Celtes, au début d'une guerre, lui vouent tout ce qu'ils auront pris ; une fois vainqueurs, ils immolent le butin vivant et entassent tout le reste en un lieu sacré. Chez beaucoup de peuplades on peut voir de ces tas ainsi formés de diverses dépouilles ; il est bien rare qu'un homme ose, au mépris de la loi religieuse, dissimuler chez lui son butin ou porter une main sacrilège sur ces offrandes : semblable crime est puni par une mort terrible.

Chez les Irlandais, la même hiérarchie ordonne les puissances divines. Lug, armé du javelot et de la fronde, que l'on surnomme Samildanach, est le dieu de tous les arts. Dagda, le dieu-bon, combattant armé

Les éléments décorés du pilier des Nautes (corporation de bateliers gallo-romains) ont été découverts en 1711 sous la cathédrale Notre-Dame de Paris, réemployés dans un mur du Bas-Empire. L'un des blocs porte la dédicace des Nautes parisiens, faite à Jupiter sous le règne de Tibère. Un autre porte sur ses quatre faces des figurations divines : Jupiter, Vulcain, Esus et Tarvos Trigaranus. La face représentant Esus (en haut, à gauche) constitue la seule image précise connue du dieu.

d'une énorme massue, maître de l'abondance, avec son chaudron inépuisable, a pour surnom Ollathair, le père de tous. Ogma symbolise la force physique, Dian Cecht est le dieu médecin, Goibniu, le forgeron divin. Chez les Gallois les dieux ont des fonctions identiques, bien qu'ils portent des noms différents.

Un tronc commun

Sous l'apparente diversité régionale se cache une unité profonde du mythe celtique. Le symbolisme de la triade se retrouve partout dans l'iconographie. Les témoignages indiquent un attachement profond à la terre, la géographie sacrée, les frontières, les configurations naturelles. Chaque particularité du paysage possède sa signification mythique.

On a découvert tout récemment à Roquepertuse (Bouches-du-Rhône) que les statues en calcaire du sanctuaire avaient été autrefois recouvertes de décorations peintes. Cette sculpture (au centre), parmi les plus importantes de la Gaule méridionale, représente, à la manière des Hermès doubles de la Grèce, deux têtes accolées aux masques différents traités de façon très réaliste. C'est un exemple net de l'influence de l'art hellénistique dans un milieu longuement imprégné des cultures méditerranéennes.

Artio, statuette gallo-romaine en bronze, d'une vingtaine de centimètres de haut, est une déesse à l'ours trouvée à Muri, près de Berne. Elle a parfois été considérée comme l'ancêtre lointaine de l'emblème de la ville. Ours et loups devaient être fréquents à l'époque celtique, mais peu de traces en subsistent, en dehors de quelques dents dans des tombes ardennaises.

TARVOS TRIGARANVS

Le culte de Mercure s'étend sur de vastes régions d'Europe. Son nom indigène, Lug, est identifiable dans la toponymie d'une quinzaine de lieux (Lyon – Lugdunum –, Leignitz, Leiden, Carlisle…). La grande fête de la moisson, Lughnasadh, est célébrée dans tous les pays celtes.

Les déesses Rosmerta, Nantosvelta, Damona, Sirona, Nemetona et d'autres encore sont les épouses de divinités masculines. Il est difficile de les distinguer toujours des *matres*, *matronae*, divines mères dont le culte est profondément ancré dans la tradition religieuse des Celtes. Génitrices des peuples, elle portent cornes d'abondance, corbeilles de fruits et symboles de fertilité. Le dieu-père Dispater est le grand maître de la terre, et les Gaulois s'en prétendent les descendants.

Le culte d'un dieu forgeron correspondant à Vulcain est connu par son nom insulaire Goibniu, en Irlande, ou Gobanon, au pays de Galles. Esus, bon dieu, cependant avide de sang humain est représenté en travailleur, associé au taureau aux trois grues Tarvos Trigaranus; on les voit tous deux sur le pilier des Nautes parisiens. Le taureau symbolise la fécondité et la puissance au combat. Mais le cerf, mâle également combatif, est le plus prestigieux des quadrupèdes non domestiqués : chaque année sa ramure repousse, symbole du renouveau et du rythme de la nature.

Les druides

Membres de l'élite intellectuelle, maîtres de la littérature et de la poésie, recrutés dans les rangs de la noblesse, nantis de privilèges, exemptés de l'impôt et du service armé, les druides doivent néanmoins consacrer une vingtaine d'années à leur instruction : la mémorisation des textes sacrés. La transcription écrite en est interdite. Et cependant, fins lettrés, les

CERNVNNOS.

Tarvos Trigaranus, le taureau aux trois grues, semble évoqué jusque dans l'épopée irlandaise : le héros, Cuchulainn, poursuit un taureau divin, mais celui-ci est averti par trois déesses ayant pris la forme de corneilles. Cernunnos, dieu des forêts celtiques par excellence, apparaît souvent paré du torque; il porte ici des bracelets suspendus à sa ramure.

druides du temps de César connaissent l'écriture.
Ils sont versés dans la science des nombres et
étudient les mouvements des astres. Ils prétendent
connaître les dimensions de l'univers. Intermédiaires
entre les humains et le monde des dieux, auquel
eux seuls ont accès, ils règlent les cérémonies
religieuses, président aux sacrifices et interprètent
les augures. Selon eux, les âmes après la mort ne
périssent pas, mais passent d'un corps dans un autre,
ou continuent à vivre «ailleurs». Cette croyance
stimule le courage et permet de surmonter la peur
de la mort.

Dans l'imagerie populaire, on représente souvent
les druides cueillant le gui. Il s'agit non seulement
d'un rituel magique, mais de la manifestation
de croyances plus profondes, d'un culte rendu à un
grand dieu celtique lié au cycle naturel des saisons :
le gui, plante pérenne, serait à l'arbre ce que l'âme
est au corps, une émanation du dieu ou même
un avatar végétal de celui-ci.

❝Les druides n'ont rien
de plus sacré que le gui
et l'arbre qui le porte,
pourvu que ce soit un
chêne. [...] On le cueille
en grande pompe. [...]
Ils préparent au pied
de l'arbre un sacrifice
et un festin religieux et
amènent deux taureaux
blancs dont les cornes
sont liées pour la
première fois. Un
prêtre vêtu de blanc
monte dans l'arbre,
coupe le gui avec une
serpe d'or et le reçoit
sur un sayon blanc.
Des victimes sont
immolées en priant le
dieu de rendre propice
cette offrande.❞
Pline l'Ancien
Histoires naturelles

Les valeureux barbares de l'âge du fer ont cédé aux assauts conjugués des Germains et de Rome. Mais, tout au long du premier millénaire de notre ère, les traditions celtiques tissent la toile de fond de l'art chrétien débutant. C'est en particulier dans des régions comme l'Irlande ou l'Ecosse, qui n'ont jamais connu le joug romain, que se sont perpétués les modèles esthétiques des Celtes.

CHAPITRE VI
MÉMOIRES CELTIQUES

Le livre de Kells, chef-d'œuvre de l'art celtique insulaire, réalisé vers l'an 800, est un recueil d'évangiles latins accompagnés de textes irlandais. La page dite du «khi-rho» (à gauche), comporte des détails si fins qu'ils sont presque invisibles à l'œil nu. A droite, la statuette d'une «divinité de la Lyre», découverte à Paule (Côtes d'Armor), date d'environ 70 av. J.-C.

La société des Celtes a sans cesse évolué au cours de son histoire; son organisation varie aussi géographiquement. Ainsi, au temps de César, tandis que la Gaule est organisée autour du réseau urbain des oppidums, et que la cité atteint son équilibre par ses institutions, communes aux tribus qui la constituent, en Irlande pré-chrétienne des groupes tribaux se répartissent en petites unités dans un habitat rural dispersé, et c'est le roi qui symbolise l'unité et les liens au territoire ancestral. La famille, le clan, le royaume, les liens du sang, la propriété collective de la terre sont les pivots de cette société alors archaïque par rapport aux modèles continentaux.

Le christianisme apparaît en Irlande au Ve siècle, diffusé par le célèbre évangélisateur saint Patrick. L'apprentissage du latin ouvre les esprits à la culture antique et les monastères concentrent désormais richesse et pouvoir. L'inspiration celtique ancienne renaît à travers l'iconographie chrétienne et inspire les enluminures. Croix monumentales sculptées dans la pierre, reliquaires, châsses, crosses où se mêle parfois l'influence de l'art viking s'épanouissent encore au XIIᵉ siècle ! Ce n'est qu'avec l'invasion anglo-normande, en 1169, et l'arrivée de nouveaux ordres monastiques venus du continent, que l'art celtique sera supplanté par d'autres modèles. Seule la littérature en conservera la trace.

Langue et légendes de la vieille Irlande

Les premiers documents écrits remontent au VIᵉ siècle. Ce sont de courtes inscriptions, funéraires pour la plupart, gravées en caractères ogamiques (dérivés de l'alphabet latin, mais formés de traits ou de points). Plus tard, des gloses insérées dans les manuscrits latins, du VIIᵉ au IXᵉ siècle, ont permis de repérer le vieil irlandais et de définir son système grammatical. Il apparaît dans plusieurs livres, comme la *Louange de Columban*, le *Livre de Kells* ou le *Livre d'Armagh*.

Des textes juridiques, rédigés en vieil irlandais,

Le livre de Durrow (ci-contre) fut rédigé dans le monastère du même nom vers l'an 675, de la main, dit-on, de saint Colomban. Il comporte quatre évangiles en latin, traduits et commentés. Son ornementation s'inspire d'une tradition d'orfèvrerie qui perdure jusqu'au XIIᵉ siècle. La même tradition se reconnaît dans la sculpture des croix irlandaises (à gauche), caractérisées par la présence d'un cercle entourant le motif central et qui disparaîtra avec l'art roman. Ci-dessous, toute d'or et d'argent, la fibule irlandaise de Tara (VIIIᵉ siècle) illustre parfaitement l'horreur du vide des artistes celtes insulaires.

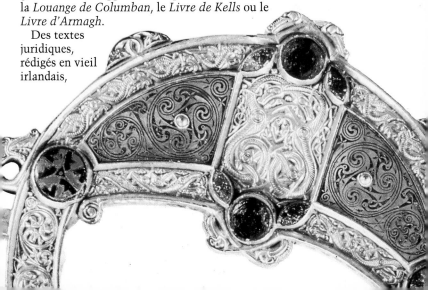

Sur le manuscrit irlandais ci-contre, datant du VIIIe siècle, un commentaire, tracé en petits caractères, fut ajouté au XIIe siècle. Il s'agit d'un texte juridique, concernant les droits des femmes.

donnent une image des idées et des procédures en vigueur en Irlande entre le VIIe et le VIIIe siècle. Le Pays de Galles, en conserve, datant du Xe siècle.

La transcription des épopées traditionnelles s'est développée très tôt en Irlande. La poésie apparaît au VIe siècle et la prose narrative à la fin du VIIe siècle. Les exploits des héros, des rois légendaires, personnages d'origine mythique, sont chantés selon des cycles : leur conception, leur naissance, puis leurs expéditions dans l'autre monde, leurs aventures amoureuses, leurs batailles, enfin leur mort exemplaire. L'idéal héroïque reprend presque entièrement celui de l'âge du fer continental.

L'énorme cheval blanc sculpté dans la colline d'Uffington en Angleterre (ci-dessus), près d'un habitat fortifié de l'âge du fer, demeure l'une des grandes énigmes de l'archéologie : son motif ne se révèle distinctement que vu du ciel. Le plus souvent attribué à une haute époque celtique, il ne fut peut-être pas réalisé avant le Moyen Age.

Les héros de l'épopée irlandaise

L'une des œuvres les plus célèbres est le *Cycle d'Ulster*, avec son héros, Cuchulainn, fils d'un être divin, mort jeune mais couvert de gloire. Peu lui importait, disait-il, de n'être au monde qu'un jour et qu'une nuit, pourvu que demeure à jamais le récit de ses aventures ! Il est habité par une puissance magique qui le transporte dans un état d'excitation

Dans la société celte, les harpistes jouissaient d'une haute considération. Les guerriers se laissaient volontiers inspirer par le chant des poètes qui

extrême. Après avoir tué bon nombre d'ennemis, Cuchulainn entre en transe, nimbé d'une lumière qui ne le quittera plus jusqu'à son dernier instant. Son peuple, pour apaiser ses pensées sanguinaires, lui présente cent femmes nues, mais il ne les voit pas...

Un autre cycle irlandais a exercé une influence profonde sur la pensée européenne à la fin du Moyen Age, celui de Finn, qui apparaît aussi au VIIe siècle. Il évoque la tradition celtique d'une confrérie de chasseurs guerriers menés par un chef extraordinaire, Finn, qui protège le royaume des incursions de l'au-delà. Au Pays de Galles, s'y superposera la légende d'Arthur largement propagée par la tradition orale.

célébraient leurs exploits. Ces épopées furent le ferment d'une tradition qui a subsisté jusqu'à nos jours : les chansons irlandaises et galloises nous sont encore familières. Ci-dessus, lithographie du XIXe siècle qui témoigne, avec une assez grande liberté d'interprétation, de l'engouement de l'époque romantique pour les Celtes.

Celle-ci a pris forme dès le VIᵉ siècle, nourrie par l'incessante narration des combats contre les Angles. Le chaudron d'abondance, les objets merveilleux, les héros et leurs aventures sont autant de thèmes celtiques.

L'héritage celtique

Si les langues celtiques ont accusé un déclin pendant la période romaine, elles n'ont cependant jamais cessé d'être parlées. Le cornique (en usage en Cornouailles) disparaît au XVIIIᵉ siècle, mais le gallois moderne, le breton armoricain, le gaélique irlandais et le gaélique écossais sont toujours vivants et enseignés. Le français contemporain conserve encore des traces du gaulois disparu : bruyère, savon, alouette, char, par exemple, en sont issus. La toponymie comprend de nombreux souvenirs des Celtes : ainsi le Rhin se rattache au celtique *renos* (cours impétueux), à l'irlandais *rian* (flots).

En littérature, l'inspiration celtique traverse les siècles. L'héritage du *Cycle d'Arthur*, notamment, sera très prolifique : Arthur devient le héros national du peuple britannique ; les Normands diffusent le personnage jusqu'en Sicile au cours du XIIᵉ siècle ; Chrétien de Troyes en reprend la geste dans ses poèmes ; Dante lui-même, dans *La Divine Comédie*, évoque le coup furieux d'Arthur frappant le traître, «perçant d'un coup d'épée la poitrine et

Imagerie populaire du XIXᵉ siècle, ou reconstitution pour le cinéma en 1973, ces immenses mannequins d'osier évoquent les rites cruels des anciens Celtes.

l'ombre» (*Enfer*, chant XXXII). Au XVIIIe siècle
MacPherson, avec la publication des *Poèmes
d'Ossian*, barde qui aurait prétendument vécu au
IIIe siècle, connaît un succès retentissant et
enthousiasme les préromantiques.

«J'ai de mes ancêtres gaulois l'œil bleu blanc,
la cervelle étroite», clamait Rimbaud. A travers la
musique, les chants et les danses populaires, les
narrations et les veillées, les tenants actuels de la
tradition celtique perpétuent une mémoire autrement
plus vive – parfois réinventée –, plus souriante aussi
que l'image vieillie d'un Vercingétorix vaincu,
transcendé en symbole national.

Ossian reçoit les
*mânes des héros
morts pour la Patrie.*
Par ce tableau de
Girodet, exécuté sous
le Consulat, en 1801,
Napoléon Bonaparte
héroïsé rentre, vivant,
dans la légende des
gloires du passé. En
page suivante, le décor
d'une anse d'œnochoé
trouvée dans la tombe
de la princesse
de Waldalgesheim
(Rhénanie).

TÉMOIGNAGES
ET DOCUMENTS

Des témoignages de Strabon
au regain d'intérêt que suscita le héros d'Alise
sous le second Empire,
quelques pièces de ce qui fut une civilisation.

Le pays des Celtes sur la carte du monde antique

Les Grecs anciens les appelaient «Keltoï», les Romains «Galli»; plus tard ils furent encore nommés «Galates». Mais il s'agit toujours de la même unité ethnique, établie sur un territoire aux frontières fluctuantes au gré des conquêtes et des retraits.

STRABON.

Les plus anciennes allusions écrites concernant les Celtes sont des descriptions de leur pays, toujours présenté comme sombre, peu engageant, plein de mystère aux yeux des poètes grecs ou des voyageurs carthaginois. Savants ou poètes les situent d'abord confusément à l'ouest ou au nord des pays méditerranéens.

Homère, au VIIIe siècle av. J.-C. déjà, mentionne dans L'Odyssée *les régions occidentales et leurs populations :*

Nous atteignons la passe de l'océan aux profonds courants où les Cimmériens ont leur pays, leurs villes. Ce peuple vit sous les nuées, dans les brumes que jamais les rayons du soleil n'ont percées; sur ces malheureux pèse une nuit funèbre.

Homère,
L'Odyssée

Le pays des Hyperboréens

Des légendes du sanctuaire de Delphes racontent qu'Apollon, peu après sa naissance, partit chez les Hyperboréens – peuple mythique d'un Nord sauvage –, sur un char conduit par des cygnes et situent cet endroit «au-delà des montagnes, dans le pays des légendes dont aucun compas n'indique le chemin».

Hésiode, poète grec qui vécut en Béotie entre le VIIIe et le VIIe siècle av. J.-C., désigne un fleuve d'Occident, «l'Eridan aux profonds tourbillons», dans lequel on croit pouvoir reconnaître le Rhône. Dans son récit du voyage qui mena Héraclès des îles Hespérides jusqu'en Grèce, il fait allusion à ce qui deviendra la Gaule.

Aristée, poète épique et grec encore, écrit L'Arimaspée *au milieu du VIe siècle av. J.-C., dans laquelle il mentionne les Hyperboréens, peuple du Nord-Ouest de l'Europe continentale.*

Un siècle plus tard, Pindare, grand poète grec, qualifie ces mêmes Hyperboréens de peuple millénaire, sacré, protégé de la maladie, de la vieillesse, de la fatigue et des guerres. Il précise :

Les montagnes neigeuses du Grand Nord, les monts Rhippées, d'où vient le vent du nord, sont localisés chez les Hyperboréens et l'Istros, grand fleuve du Nord [le Danube], comme le Tanaïs et le Boristhenes, jaillit des monts Rhippées [les Alpes], vient donc de chez les Hyperboréens et leur appartient comme le Nil appartient aux Ethiopiens.

Pindare,
Pythique, X

Première mention des Celtes

*C'est au VI*e *siècle av. J.-C. que le pays des Celtes est distinctement nommé, par Hécatée de Milet, historien et géographe grec, né vers 548 av. J.-C. à Milet, en Asie Mineure et mort vers – 475. Lui-même avait voyagé à l'ouest de la Grèce. Il dressa une carte géographique des pays habités et rédigea une sorte de voyage autour du monde, avec un commentaire de sa carte.*

*Et quant à Hérodote, la vaste étendue qu'il désigne, au V*e *siècle, entre les sources du Danube (Allemagne du Sud) et la péninsule Ibérique est bien l'aire occupée par les Celtes telle que l'archéologie de nos jours le confirme :*

Au-delà des colonnes d'Hercule, on trouve les Cynètes et c'est le dernier peuple de l'Europe du côté du couchant, tout de suite après eux, on rencontre les Celtes. [...] L'Istros traverse toute l'Europe après être descendu de chez les Celtes et de la ville de Pyréné.

Hérodote,
Histoires, II/33 et IV/49

Sans doute a-t-il eu connaissance de ce peuple dont il cite le nom lors d'un voyage qu'il fit sur les bords de la mer Noire.

La Celtique vue du large

La notion de Celtes habitant l'ouest de l'Europe est due aux récits de navigateurs qui n'ont souvent décrit que les régions côtières.

*Himilcon, navigateur carthaginois du début du V*e *siècle av. J.-C., chargé de reconnaître les côtes atlantiques et les mers du nord de l'Europe, a fait de ces contrées des descriptions terrifiantes, plus tard reprises par le poète latin Avienus. Ces manifestes exagérations des dangers affrontés sont-elles sincères ou cachent-elles l'échec de sa mission ? Ou sont-elles*

Dans sa *Géographie*, Strabon situe les territoires des barbares d'Occident entre les Alpes du Nord, les îles Britanniques et la péninsule Ibérique. C'est d'après ses descriptions que la carte ci-dessous a été établie en 1933 par A. Berthelot.

destinées à embrouiller les pistes de la route de l'étain qu'Himilcon était censé découvrir ?

Il dit n'avoir pas mis moins de quatre mois à traverser l'océan, des colonnes d'Hercule aux îles Oestrymides (îles armoricaines ou britanniques) «sur une mer comme engourdie et encombrée d'algues, en danger sur les hauts fonds et au milieu des monstres marins».

A l'ouest des colonnes d'Hercule, l'absence de vents et un perpétuel brouillard auraient toujours rendu la navigation impossible.

Un autre navigateur, également astronome, Pythéas, massaliote d'origine grecque du IVe siècle av. J.-C., parti explorer l'Atlantique et la mer du Nord atteindra sans doute la mer Baltique et en laissera un étonnant témoignage dans un ouvrage intitulé L'Océan.

Un géographe grec contemporain de la conquête

Avec Strabon, né en Cappadoce en −58, on a pour la première fois une description géographique précise du territoire des Celtes. De son temps, c'est-à-dire au tournant de notre ère, celui-ci ne s'étend plus que du Rhin aux îles Britanniques.

Après l'Ibérie [l'Espagne], la Celtique s'étend vers l'est jusqu'au fleuve Rhin. Sur toute sa face nord, elle est baignée par le chenal de la Bretagne [l'Angleterre], car cette île s'étend parallèlement à elle sur la même longueur, soit une longueur de 5 000 stades. A l'est c'est donc le fleuve Rhin qui la délimite, qui a son cours parallèle au mont Pyréné. Sa limite sud, c'est d'abord les Alpes à partir du Rhin, c'est ensuite la Méditerranée limitée au golfe dit Galatique – et dans lequel se dressent les villes fameuses de Marseille et de

Narbonne. Forme l'opposé de ce golfe, lui tournant le dos, un autre golfe de même nom, comme lui appelé Galatique, regardant vers le nord de la Bretagne [l'Angleterre]. C'est là également que, en profondeur, la Celtique est la plus étroite car elle se façonne en un isthme de moins de 3 000 stades mais de plus de 2 000. Dans l'intervalle [entre ces deux golfes] il y a une chaîne montagneuse perpendiculaire au Pyréné, celle qui est appelée le mont Cemmène [les Cévennes, i.e. le Massif central] ; il parcourt jusqu'à son extrémité les parties médianes des plaines des Celtes. Les Alpes, qui sont des montagnes très hautes, décrivent une ligne courbe, la convexité en est tournée vers ces mêmes plaines des Celtes et vers le mont Cemmène, et le creux vers la Ligystique et l'Italie.

Strabon,
Géographie, Livre II, 5, 28

Au-delà des colonnes d'Hercule

Lecteur passionné des récits de voyage d'Himilcon et de Pythéas, c'est un poète latin du IVe siècle de notre ère, Rufus Festus Avienus, qui reprend à son compte les évocations d'un Ouest sauvage et périlleux dans son poème géographique Ora Maritima.

L'eau pénètre à l'intérieur des terres et enveloppe le globe. A l'endroit où la mer profonde sort de l'océan pour venir en se déroulant former notre Méditerranée s'ouvre le golfe atlantique. Là est la ville de Gadir, nommée jadis Tartessus; là sont les colonnes de l'opiniâtre Hercule, Abyla et Calpé, celle-ci à gauche, Abyla proche de la Lybie; le rude vent du nord y mugit mais elles tiennent bon.

Et là se dresse la tête d'un promontoire – l'âge antique le nomma

Œstrymnis. Toute la haute masse du sommet rocheux incline surtout vers la tiède Notus.

Au pied de ce promontoire s'ouvre aux habitants le bras de mer Œstrymnique où sont les îles Œstrymnides, aux larges plaines et riches mines d'étain et de plomb. Ce peuple est puissant, au cœur fier, énergique et industrieux, commerçant en tout. Leurs barques sillonnent au loin le bras de mer agité et l'océan plein de monstres marins. Ils ne construisent pas les carènes avec le pin d'érable, ne courbent pas le sapin, comme c'est l'usage ; mais chose merveilleuse, ils font leurs navires de peaux cousues ensemble et c'est sur du cuir qu'ils parcourent souvent la vaste mer.

De là jusqu'à l'île Sacrée, ainsi nommée par les Anciens, un bateau met deux jours. Cette île couvre entre les eaux une vaste surface qu'habite la nation des Hibernes. Près d'elle revenant en sens opposé s'étend l'île des Albions.

Des îles Œstrymnides, si l'esquif ose avancer dans les eaux septentrionales (où la fille de Lycaon glace les airs), il arrive au pays des Ligures, vide d'habitants, car la main des Celtes, par des combats répétés l'a dépeuplé. Les Ligures expulsés, comme souvent le sort pousse les hommes, vinrent dans ces lieux qu'ils occupent, hérissés de broussailles ; le sol y est pierreux, les roches escarpées, des monts menaçants s'élèvent vers le ciel. Longtemps le peuple fugitif y mena sa vie dans les abris, s'écartant de la mer qu'il redoutait à cause du danger ancien ; puis le calme et le repos fortifiant en sécurité son audace, l'incitèrent à descendre de ses hautes demeures vers les parages maritimes.

Festus Avienus,
Ora Maritima,
Librairie Champion, 1934

Vision d'un archéologue contemporain

Spécialiste contemporain du monde des Celtes, Alain Duval en donne les limites géographiques au moment de leur pleine expansion. Il situe les peuples tels que plus tard les rencontrera César.

Le IIIe siècle av. J.-C. marque l'apogée des Celtes. Ils occupent alors une vaste zone, qui va depuis les îles Britanniques jusqu'en Ruthénie (région slovaque faisant actuellement [ayant fait] partie de l'U.R.S.S.). On distingue deux grandes régions : la Celtique occidentale et la Celtique orientale. Cette dernière région, en contact avec le monde hellénistique – et pas uniquement à travers les raids que conduisent les bandes armées en Grèce – mais aussi avec ses voisins orientaux, comme les Daces, est de loin la plus riche et la plus dynamique. En Celtique occidentale, les tribus dont parlera plus tard César se mettent en place au cours du IIIe et au début du IIe siècle av. J.-C. Une partie de ces tribus représente ce qu'on est en droit d'appeler désormais les *Gaulois*, et notre pays prend, par voie de conséquence, le nom de Gaule. Au nord de la Gaule et en Angleterre vivent les *Belges* (les Belges insulaires étant appelés Bretons). A l'ouest de la Gaule, les Gaulois s'appellent les *Armoricains*. Au IIe siècle av. J.-C., parmi les peuples les plus puissants de la Gaule, on peut citer les Sénons, les Arvernes en Auvergne, et ceux de la vaste région qui va de la Bourgogne au plateau suisse, les Eduens et les Séquano-helvètes. Dans le Languedoc vivent les Volques, dont on ne sait pas, à l'heure actuelle, s'ils sont une partie du peuple arverne ou des Celtes orientaux émigrés en Gaule.

Alain Duval,
L'Art celtique de la Gaule, MAN, 1989

Portrait type d'un ancêtre de l'«homo europeanus»

«Les Celtes ont la peau froide, moite, blanche et sans poils comme les Germains, les Thraces et les Scythes», écrivait au IIe siècle le médecin grec Galien, qui prétendait encore : «Les Celtes n'ont pas le corps parfaitement proportionné.» Hippocrate, malheureusement, n'avait pas fait connaître son point de vue sur le sujet.

Bien qu'ils ne puissent en aucun cas être considérés comme une race, les Celtes se sont vu attribuer au cours des siècles des traits communs, physiques ou de caractère, parfois en contraste singulier avec les modèles qui ressortent de leur propre statuaire ou de l'étude de leurs squelettes.

Un type excessivement nordique ?

Les auteurs classiques, voisins et contemporains des Celtes, s'extasiaient de la blancheur de leur peau, de leurs yeux et de leurs cheveux clairs, de leur puissante musculature. Pour des Méditerranéens, ces hommes venus du Nord étaient un constant sujet d'étonnement, et livraient à leurs yeux ébahis une véritable symphonie d'or et d'argent. C'est ainsi que Virgile, résumant leurs aspects physiques, les montre ciselés sur le bouclier d'Énée :

D'or sont leurs cheveux, d'or est leur vêtement, des rayures claires égayent leurs sayons ; leurs cous, blancs comme le lait, sont cerclés d'un collier d'or ; aux mains de chacun scintille le fer de deux grands javelots alpins; de hauts boucliers couvrent la longueur de leurs corps.

Virgile,
L'Énéide, VIII

Le mythe du grand blond

Se sentiraient-ils tout petits, ces peuples de culture classique? La grande vitalité des barbares, en tout cas, les impressionne. Diodore de Sicile (1er siècle av. J.-C.), l'auteur d'une Bibliothèque historique *en quarante livres, des origines jusqu'à la guerre des Gaules, a ainsi laissé des Gaulois une description haute en couleur :*

Les Gaulois sont de haute taille, leur chair est flasque et blanche ; leurs cheveux sont non seulement blonds par nature, mais ils s'appliquent encore à éclaircir la nuance naturelle de cette couleur en les lavant continuellement à l'eau de chaux. Ils les tirent du front vers le sommet de la tête et vers la nuque… Grâce à ces opérations, leur coiffure s'épaissit au point de ressembler à la crinière des chevaux. Certains se rasent la barbe, d'autres la laissent pousser modérément ; les nobles tiennent leurs joues nues mais portent des moustaches longues et pendantes au point qu'elles leur couvrent la bouche. Ils se vêtent d'habits étonnants, de tuniques teintes où fleurissent toutes les couleurs et de pantalons qu'ils appellent braies. Ils agrafent par-dessus des sayons rayés, d'étoffe velue en hiver et lisse en été, divisée en petits carreaux serrés et colorés en toutes nuances.

Diodore de Sicile,
Bibliothèque historique, V/28-30

Des pillards fanfarons…

Les premiers écrivains antiques, qui ne virent des Gaulois que les bandes aventureuses venues chercher fortune au milieu des peuples du monde méditerranéen, en font une race de pillards sans foi ni loi, entraînée par son ardeur aux entreprises les plus chimériques et, par son orgueil, aux fanfaronnades les plus folles. Les Gaulois défiaient le ciel et les rois, ils ne connaissaient pas d'obstacle à leurs fantaisies. Toujours en mouvement, hâbleurs, querelleurs, rieurs, ils adoraient le bruit, les couleurs voyantes, tout ce qui brille, tout ce qui grise. Leur luxe, d'une ostentation inouïe, prodiguait les métaux éclatants, le corail, l'émail, les coloris les plus vifs. Tout chez eux paraissait excessif : leur taille, leur force, leurs emportements, leur gloutonnerie, leurs gestes, leurs paroles. C'étaient de grands enfants, les enfants terribles de l'Antiquité.

Albert Grenier, *Les Gaulois,*
Petite Bibliothèque Payot, Paris, 1970

L'avis d'Arrien (IIe siècle apr. J.-C.), Grec ayant obtenu la citoyenneté romaine, rédacteur, qui plus est, des œuvres d'Epictète, peut être considéré comme une calme et sobre synthèse :

Les Gaulois sont de grande taille et ont d'eux-mêmes une haute opinion.

Arrien,
Expédition d'Alexandre, I/4

D'impétueux guerriers

Historien et géographe grec d'Asie, Strabon (64 av. J.-C.-21 apr. J.-C.) a rédigé une Géographie *en 17 livres. Ses descriptions de la Gaule et des Gaulois sont, avec celles de César, les plus précises.*

La race que l'on appelle aujourd'hui dans son ensemble race gallique ou galatique est passionnée pour la guerre, prompte à la colère et vite portée à se battre, mais au demeurant fruste de mœurs et sans vices. De ce fait, si on excite les Gaulois, ils se ruent tous ensemble dans la bataille sans se dissimuler et sans regarder à droite ni à gauche. Ils sont alors faciles à vaincre pour qui veut les combattre par la manœuvre ; il suffit qu'on provoque leur colère par n'importe quel prétexte au moment et à l'endroit désiré pour qu'on les trouve prêts à tout risquer sans autre secours que leur force et leur audace. Si au contraire, on agit par la persuasion, ils s'offrent sans difficulté à faire des choses utiles et on les voit même s'essayer aux arts libéraux et à l'éloquence. Leur force vient en partie de leur taille qui est haute, en partie de leur nombre…

A la simplicité et à l'exubérance des Gaulois s'ajoutent beaucoup d'irréflexion, beaucoup de vantardise et une grande passion de la parure. Ils aiment à se couvrir d'or, portant des colliers autour du cou et des cercles d'or au bras et au poignet, et les dignitaires s'habillent de vêtements teints à la cuve et pailletés d'or. A cause de cette légèreté de caractère, la victoire les rend insupportables mais la défaite les plonge dans la stupeur. Leur irréflexion s'accompagne aussi de barbarie et de sauvagerie, comme si souvent chez les peuples du Nord.

Strabon,
Géographie, IV/4,2

Magie du verbe

La tradition orale tient une place capitale chez les Celtes, d'autant plus qu'elle remplace l'écriture. L'art de la parole s'est probablement développé d'une façon aussi complexe que les arts plastiques, marquant, comme eux, une prédilection pour les jeux de métamorphoses.

Dans la conversation, la parole des Gaulois est brève, énigmatique, procédant par allusions et sous-entendus, souvent hyperbolique, quand il s'agit de se grandir eux-mêmes et d'amoindrir les autres. Ils ont le ton menaçant, hautain, tragique, et pourtant l'esprit pénétrant et non sans aptitude pour les sciences.

Diodore de Sicile,
op. cit.

Beaux parleurs ou hâbleurs ?
De l'éloquence celtique

Si pénétrant que fût leur esprit, la parole allait peut-être plus vite que la pensée. C'étaient les plus bavards de tous les Barbares. Ils avaient la loquacité du Grec, et le langage était pour eux le geste le plus habituel. Dans les assemblées publiques, ils ne se dispensaient pas d'interrompre, si bien qu'un huissier était chargé de rappeler à l'ordre. S'ils aimaient à écouter, c'était surtout afin de raconter, et il fallait prendre des mesures à l'endroit des propagateurs de nouvelles, se prémunir contre les commérages politiques, les griseries des orateurs de carrefours. La Gaule était déjà un pays de nouvellistes et de harangueurs.

Bien parler y fut une vertu. On l'a dit des Romains, on doit le dire plus encore des Gaulois. L'éloquence était, chez un chef, un instrument de puissance et d'action aussi efficace que son or et que sa clientèle. C'est surtout un orateur ardent et persuasif que Vercingétorix a commandé : la terreur n'a jamais été, pour lui, qu'un moyen provisoire de régner.

Camille Jullian,
Histoire de la Gaule, Paris, 1920

Méfiance romaine

Cicéron, s'adressant en −69 aux Romains pour défendre le gouvernement de la Gaule transalpine, les met en garde contre ces gens (les Gaulois) qui, pour leurs comportements, sont indignes de confiance :

Ce sont ces peuples qui, jadis, bien loin de leur pays, sont allés jusqu'à Delphes, jusqu'au sanctuaire d'Apollon Pythien, l'oracle de l'univers entier, pour le profaner et le piller. C'est par ces mêmes peuples, si religieux, si scrupuleux lorsqu'ils témoignent en justice, que fut assiégé le Capitole… Estimez-vous qu'avec leurs sayons, leurs braies, ils aient ici l'attitude humble et soumise…? Voyez-les se répandre gais et arrogants dans tout le Forum, la menace à la bouche, cherchant à nous effrayer par les sonorités horribles de leur langage

barbare… C'est qu'une flétrissure et un déshonneur insignes seraient infligés à cet empire si l'on portait en Gaule la nouvelle que des sénateurs et des chevaliers romains, déterminés non par les dépositions des Gaulois mais par leurs menaces, ont jugé selon le bon plaisir de ces barbares.

Cicéron,
Pour M. Fonteius, 16, 31, 33

De la discipline gauloise

Justice est faite au XIXe siècle enfin, et les Gaulois, tout autant que les Romains, sont reconnus comme aimant l'ordre, et sachant le maintenir.

Dans les assemblées, des précautions étaient prises contre les décisions précipitées auxquelles les rumeurs populaires auraient pu donner lieu. […]

Pour y maintenir l'ordre, les Gaulois avaient établi un usage singulier. Si quelqu'un interrompait l'orateur ou voulait parler hors de son tour, on lui coupait un pan de son manteau. Aux assemblées de guerre, d'autres coutumes existaient : celui dont l'embonpoint ne pouvait être contenu dans une ceinture réservée à cet usage était puni d'une amende, et celui qui arrivait le dernier au rendez-vous d'armes était mis à mort ; celui-là sans doute, en se faisant longtemps attendre, finissait par être regardé comme un réfractaire.

Les Romains avaient une coutume analogue à la revue des chevaliers, celui qui avait une trop forte corpulence était privé de son cheval par le censeur et relégué dans une classe inférieure ; le citoyen qui ne répondait pas à l'appel de son nom pour le service militaire était vendu.

Victor Duruy,
Histoire des Romains, III, Paris, 1881

Société et vie privée

Souvent peu objectifs, les récits laissent entrevoir des gens rudes aux coutumes primaires. La finesse du matériel archéologique donne une tout autre impression de la vie des Celtes, réglée par des lois, des schémas sociaux et moraux relativement stricts.

Caricature du barbare

Polybe (200 et 120 av. J.-C.), historien grec inconditionnel de Rome avait personnellement visité la Gaule cisalpine. Mais il semble que le primitivisme qui se dégage de ses descriptions des Gaulois – anticipant les versions romantiques – n'ait été qu'un subterfuge pour dissimuler de nettes lacunes dans ses connaissances.

Les Gaulois habitaient des villages non fortifiés et ils étaient étrangers à toute forme d'industrie ; couchant sur des litières, ne mangeant que de la viande, pratiquant seulement la guerre et l'élevage, ils menaient une vie primitive et ne connaissaient aucune sorte de science ni d'art. Leur avoir personnel consistait en troupeaux et en or, parce que c'étaient les seules choses qu'ils pouvaient facilement emmener et transférer partout à leur gré dans leurs déplacements. Ils mettaient leur plus grande application à former des clans parce que chez eux l'homme le plus redoutable et le plus puissant est celui qui passe pour avoir le plus de clients et de satellites.

Polybe,
Histoires

Des personnes et des biens

Proconsul romain lié par sa famille aux milieux plébéiens, César, dans ses Commentarii de Bello Gallico, *raconte en détail non seulement ses campagnes guerrières de – 58 à – 51, mais aussi ses impressions sur les habitants de la Gaule : un intéressant mélange de fines observations et parfois d'interprétations délirantes, prouvant en huit livres l'aspect salvateur de l'intervention de l'armée romaine, tant pour les individus que pour la morale ou la civilisation en général.*

Dans toute la Gaule il y a deux classes d'hommes qui comptent et sont considérées : les druides et les chevaliers; les uns président aux choses de la religion, les autres à celles de la guerre. Quant à la plèbe elle ne compte guère plus que les esclaves; elle ne peut rien faire par elle-même et n'est consultée sur rien. Ecrasée sous le poids des dettes et des impôts, en butte à tous les dénis de justice, elle en était réduite à se mettre sous la protection des puissants qui prenaient sur elle à peu près les mêmes droits que des maîtres sur leurs esclaves.

César,
Sur la guerre des Gaules, VI, 13, 1

Contrat de mariage, funérailles et autres cruautés

Les hommes, en se mariant, mettent en communauté une part de leurs biens équivalant, après estimation, à la somme d'argent apportée en dot par les femmes. On fait de ce capital un compte unique et les intérêts en sont mis de côté ; le conjoint survivant reçoit l'une et l'autre part, avec les revenus accumulés. Les maris ont droit de vie et de mort sur leurs femmes comme sur leurs enfants ; toutes les fois que meurt un chef de famille de haute lignée, les parents s'assemblent et, si la mort est suspecte, on met à la question les épouses comme on fait des esclaves ; les reconnaît-on coupables, elles sont livrées au feu et aux plus cruels tourments. Les funérailles sont magnifiques et somptueuses ; tout ce qu'on pense que le mort chérissait est porté au bûcher, même les animaux et, il n'y a pas longtemps encore, la règle d'une cérémonie funèbre complète voulait que les esclaves et les clients qui lui avaient été chers fussent brûlés avec lui.

César, *op. cit.*

La propriété de la terre

A la fin du XIXᵉ siècle, les archéologues tirent de l'analyse des divers matériels des conclusions moins partisanes.

L'état des propriétés dans la Gaule correspondait à l'état des personnes. De même que les hommes du clan n'étaient qu'une famille, n'avaient qu'un chef, les terres du *pagus* n'étaient qu'un seul héritage, n'avaient qu'un propriétaire, le clan tout entier, personnifié dans son chef qui administrait, tout porte à le croire, la propriété commune. Il présidait à la distribution des cultures, assignait à chaque *gens* ses cantonnements, suivant l'importance ou la condition de chacune. Cette répartition n'était d'ailleurs que provisoire ; elle formait un métayage de courte durée qui renouvelait à des intervalles très rapprochés les cultivateurs du sol, la propriété restant indivise pour toute la tribu. [...] Dans les pays de Galles, le chef était seigneur de toutes les terres de son clan ; il concédait aux chefs de maisons des possessions privées [...] et sans préjudice de leurs droits dans la propriété commune.

Chez tous les peuples de race gaélique, comme dans la Germanie, la communauté était la règle, la propriété l'exception. [...]

La communauté rurale était constituée chez les Germains comme dans la Bretagne et dans la Gaule. César l'a définie avec sa concision habituelle. C'était une association d'hommes de même famille ou de même race, qui se réunissaient pour cultiver ensemble la quantité de terres, et dans les localités qui leur étaient assignées par le chef.

J.G. Mulliot et J. Roidot,
La Cité gauloise, 1879

Le chef de clan

La principale fonction du chef de clan et des chefs gaulois en général était la guerre. Avec la chasse et les festins, elle remplissait à peu près toute leur existence. Lorsque la cité faisait un appel aux armes, le chef de clan se mettait à la tête de son contingent et le conduisait au combat. Il était en toute circonstance le protecteur naturel des hommes de sa tribu ; ceux-ci lui devaient en retour une fidélité inviolable, un dévouement à toute épreuve. [...]

Diodore de Sicile dit que les suivants des chefs étaient de condition libre et choisis parmi les prolétaires; qu'ils les accompagnaient à la guerre comme gardes ou conducteurs de chars. Ne serait-il pas naturel de voir dans ces suivants prolétaires les fils des colons libres qui, à quatorze ans, d'après les lois galloises comme d'après l'usage féodal, étaient présentés au chef de race, tenu dès lors de les nourrir ? Dans cette jeunesse se recrutaient les *serviteurs à la limite de l'enfance*, employés comme échansons aux banquets dans la demeure du princeps. Nourris sous son toit, grandissant auprès de lui, apprenant le maniement des armes dans son *hall*, auprès des soldures, bercés des chants composés en son honneur, ils devaient être préparés de longue date à faire partie de ses *dévoués*. Dumnorix, chef des cavaliers éduens, ne montait jamais à cheval sans être suivi d'une troupe d'écuyers *qu'il nourrissait en tout temps à ses frais, et qui ne le quittaient jamais*. Le même usage existait chez les Germains.

J.G. Mulliot et J. Roidot,
op. cit.

D'étranges coutumes

On a peine à croire que les descriptions d'ordre ethnologique, dont Diodore de Sicile a largement émaillé sa Bibliothèque historique, *puissent toutes relever d'observations directes ou d'expériences vécues...*

Pendant les festins de noces, les parents et les amis vont l'un après l'autre depuis le premier jusqu'au dernier, d'après le rang d'âge, jouir des faveurs de la mariée. Le jeune époux est toujours le dernier qui reçoive cet honneur. Leurs funérailles se font aussi d'une manière

toute particulière : ils brisent à coups de bâton les membres du cadavre, et le jettent dans un vase qu'ils couvrent d'un tas de pierres. Ils ont pour armes trois frondes : ils en portent une autour de la tête, l'autre autour du ventre, et gardent la troisième dans leurs mains. Pendant la guerre ils lancent des pierres énormes, et avec une telle force, qu'on les croirait lancées par une catapulte. Dans les sièges des places fortes, ils atteignent ceux qui défendent les créneaux ; et dans les batailles rangées ils brisent les boucliers, les casques et toute l'armure défensive de l'ennemi. Ils visent tellement juste qu'il leur arrive rarement de manquer le but. Ce qui les rend si adroits, c'est qu'ils se livrent à cet exercice dès leur

première jeunesse, et que les mères elles-mêmes forcent leurs enfants à manier continuellement la fronde. Elles leur donnent pour but un pain fixé à un poteau ; et les enfants restent à jeun jusqu'à ce qu'ils aient atteint ce pain, et obtenu de la mère la permission de manger.

Diodore de Sicile,
Bibliothèque historique

Affaire de mœurs

Quoique leurs femmes soient belles, ils ont très peu de commerce avec elles, mais ils se livrent à la passion absurde pour le sexe masculin, et couchés à terre sur des peaux de bêtes sauvages, ils ont d'habitude à chaque côté un compagnon de lit. Mais ce qu'il y a de plus étange, c'est que, au mépris de la pudeur naturelle, ils prostituent avec abandon la fleur de la jeunesse. Loin de trouver rien de honteux dans ce commerce, ils se croient déshonorés si l'on refuse les faveurs qu'ils offrent.

Diodore de Sicile, *op. cit.*

Festins et extravagances

Celtes et Gaulois passent pour de bons vivants ; les festins chez eux revêtent aussi une signification sociale.

Parmi les peuples qui ont coutume de s'enivrer, on compte les Carthaginois, les Celtes, les Ibères, les Thraces, races guerrières.

Platon

Posidonios (135-51 av. J.-C.), premier écrivain grec à visiter l'intérieur de la Gaule, fut le continuateur des Histoires *de Polybe. Son livre XXIII contient une intéressante étude ethnographique des Celtes.*

Les Celtes organisent parfois pendant leurs repas de vrais duels. Toujours armés dans ces réunions, ils se livrent à des simulacres de combat et luttent entre eux à mains nues ; ils arrivent cependant parfois jusqu'aux blessures, s'irritent alors et, si les assistants ne les séparent pas, en viennent à se tuer. Dans les anciens temps, quand était servi un gigot ou un jambon, le plus vaillant s'attribuait la partie supérieure ; si un autre désirait la prendre, c'était entre les deux prétendants un combat à mort. [...]

Quand les convives sont nombreux, ils s'assoient en cercle, la place du milieu étant réservée au personnage le plus important... celui qui se distingue entre tous par son habileté à la guerre, par sa naissance ou par ses richesses. Près de lui s'assied celui qui reçoit et, alternativement de chaque côté, tous les autres, selon leur rang. Derrière, se tiennent les valets d'armes qui portent les boucliers et, en face, les porteurs de lance : assis en cercle comme leurs maîtres, ils festoient en même temps qu'eux. Les serviteurs font circuler la boisson dans des vases de céramique ou d'argent [...] ; les plats sur lesquels sont disposés les mets sont du même genre, quelquefois en bronze, d'autres fois en bois ou en osier tressé. La boisson servie chez les riches est du vin d'Italie ou du pays massaliote : on le boit pur ou, plus rarement, mélangé à un peu d'eau ; chez ceux qui sont moins aisés, c'est une boisson fermentée à base de froment et de miel ; chez le peuple, de la bière qu'ils appellent «korma». Ils boivent à la même coupe, par petites gorgées... mais y reviennent souvent.

Posidonios,
Histoires, XXIII

Quand les princes semaient l'or

Afin de se concilier la faveur du peuple, le prince Luern, père de Bituit, traversait en char les campagnes en jetant de l'or et de l'argent aux myriades de Celtes qui le suivaient. Il faisait parfois construire un enclos de douze stades carrés avec des cuves remplies de boissons de prix et d'une telle quantité de victuailles que, pendant plusieurs jours, chacun pouvait entrer librement dans l'enceinte et y consommer les mets préparés, servis sans interruption à tout venant. Une fois que ce même prince avait donné un grand festin, à une date fixée d'avance, un poète de chez ces barbares arriva trop tard. Il alla donc à la rencontre de Luern avec un chant où il célébrait sa grandeur mais déplorait en même temps le retard dont il portait la peine. Amusé par ses vers, le prince demanda une bourse d'or et la jeta au poète qui courait à côté de son char. Celui-ci la ramassa et entonna un nouveau chant dans lequel il comparait les traces laissées par le char du prince à des sillons où germaient pour les hommes de l'or et des bienfaits.

Posidonios, *op. cit.*

Le héros celte doit être bien nourri

Evoqué déjà par Posidonios à propos des festins, le thème du «morceau du héros» se retrouve en Irlande préchrétienne :

Un thème héroïque très apprécié est celui du morceau du héros : dans le partage des viandes, le meilleur morceau revient au champion. C'est, par exemple, le thème central du *Festin de Briciu*, et de l'*Histoire du cochon de Mac Datho*. Dans les deux cas, le thème est traité de façon comique : au festin de Briciu, ce sont les femmes des trois premiers héros qui se disputent la préséance ; on finit par leur imposer une épreuve de course, qu'elles accomplissent en retroussant leurs jupes. Dans l'*Histoire du cochon de Mac Datho*, les premiers guerriers ulates et connachtiens se disputent pour savoir qui va découper le cochon. Cet s'empare du couteau et raille ceux des Ulates qui prétendent le lui prendre, en rappelant un épisode peu glorieux de leur passé. Arrive Conall Cernach, un champion indiscutable, qui ne donne que des petits

F ragment d'une grande table de bronze découverte à Coligny (Ain), représentant un calendrier gaulois du IIᵉ ou Iᵉʳ siècle av. J.-C.

morceaux aux Connachtiens. L'histoire se termine dans une mêlée générale.

Lambert, Les Littératures celtiques,
Que Sais-je? 1981

Des fêtes pour ponctuer l'année

Le 1ᵉʳ novembre et le 1ᵉʳ mai divisaient l'année en deux saisons, la saison froide (*giamon*) et la saison chaude (*samon*), division commune à tout le domaine celtique et dont on retrouve la trace dans le calendrier gaulois de Coligny aussi bien que dans l'usage gallois actuel. Chaque saison est, du moins en Irlande, partagée à son tour en deux trimestres par les fêtes du 1ᵉʳ février, maintenant fête de sainte Brigitte, et de *Lugnasad*, le 1ᵉʳ août. On voit que le calendrier celtique se règle non sur l'année solaire, sur les solstices et les équinoxes mais sur l'année agraire et pastorale, sur le début et la fin des travaux de l'élevage et de la culture. Ainsi le monde mythique des Celtes est-il dominé par les déesses du sol, alors qu'on y cherche en vain les divinités solaires.

Marie-Louise Sjoestedt,
Dieux et héros des Celtes, PUF, 1940

Les faits sont moins nets en Gaule. On voit, par le calendrier de Coligny, que c'est la lune et non le soleil qui règle les mois de l'année. La prédominance des déesses du sol est peut-être un fait insulaire plus que généralement celtique. Nous avons cependant trouvé en Gaule la fête de Lug, le premier août, correspondant au *Lugnasad* irlandais ; nous y pouvons aussi supposer la fête du début de novembre qui est restée, pour nous, celle des Morts.

Albert Grenier, Les Gaulois,
Petite Bibliothèque Payot, Paris, 1970

Cette fête du 1ᵉʳ novembre n'est pas la fête de telle ou telle divinité tutélaire mais celle du monde tout entier des esprits dont l'intrusion dans le monde humain revêt alors un aspect menaçant et belliqueux. *Samain* est le temps où l'on offre aux esprits, au seuil de la saison, stérile, les dîmes prélevées sur le fruit de la saison féconde qui finit. Ces sacrifices revêtent le caractère de lourds tributs imposés à l'homme par les puissances destructrices… Ainsi jusqu'à l'arrivée de saint Patrice, les Irlandais offraient, le 1ᵉʳ novembre, le premier-né de chaque portée et l'aîné de chaque progéniture.

Marie-Louise Sjoestedt, op. cit.

Langues et écriture dans la culture celtique

Il n'y a pas une mais des langues celtiques, et toutes appartiennent au groupe dit «indo-européen». Aucune d'entre elles, cependant, ne semble avoir disposé d'un alphabet propre. Les inscriptions celtiques ont utilisé en les adaptant des alphabets d'emprunt. C'est aux moines irlandais du Moyen Age qu'on doit la sauvegarde d'une partie de la littérature celte insulaire, transmise jusqu'à eux par la tradition orale.

Le langage comme indice des sociétés

Les Celtes ne sont pas une race, mais un groupe de peuples, plus exactement parlant, un groupe de sociétés. La langue est l'une des caractéristiques les plus claires et les plus exactes des sociétés. [...] On peut donc dire que les Celtes sont le groupe des peuples qui parlaient ou parlent encore des dialectes d'une certaine famille que l'on appelle les langues celtiques. Partout où les Celtes ont séjourné, ils ont laissé des noms de lieux, des inscriptions avec des noms d'hommes, dans l'histoire le souvenir d'autres noms qui se reconnaissent entre tous et qui, d'une façon générale, sont partout les mêmes. Les moindres traces de parlers celtiques attestent avec certitude la présence des Celtes en un certain lieu, à une certaine date. Elles permettent de jalonner le domaine celtique et ses limites changeantes avec un maximum de sécurité.

[...] Les langues sont, dans leur constitution, un indice des relations de parenté ou de voisinage que les sociétés ont eues entre elles. Les langues celtiques ne sont pas isolées parmi les langues européennes. La comparaison qui peut être faite entre elles et les autres familles de langues est donc de nature à fournir des renseignements sur leur place dans l'arbre généalogique de ces langues indo-européennes qui sont, la plupart, les langues d'Europe, sur les voisinages des Celtes à divers moments de leur passé et par conséquent sur l'emplacement de leur habitat.

Henri Hubert,
*Les Celtes depuis l'époque de La Tène
et la civilisation celtique,*
La Renaissance du Livre, Paris, 1932

Langue gauloise et croassement du corbeau

Que valait, comme instrument de travail intellectuel, la langue que parlaient les Gaulois ? Dans quelle mesure correspondait-elle à leur esprit et pouvait-elle favoriser leurs penchants ?

Par malheur, de toutes les choses de la Gaule qui nous échappent, la langue est à coup sûr celle que nous ignorons le plus. Les Anciens, toujours peu curieux des parlers barbares, se sont obstinément refusés à nous entretenir d'elle, à nous dire en quoi elle ressemblait ou s'opposait aux autres langues de l'Occident.

Les Celtes, a dit un Grec, ont la voix forte et retentissante, et pleine d'intonations rudes ; peu s'en faut qu'il ne compare leur langue au croassement du corbeau.

Camille Jullian, *op. cit.*

«On connaît presque autant de langues celtiques que de groupes distincts de Celtes»...

... Les langues modernes sont, d'une part, l'irlandais, qui comporte trois groupes de dialectes, le gaélique d'Ecosse et le dialecte de l'île de Man; de l'autre, le gallois, qui comporte deux groupes de dialectes, le cornique, qui est mort en Cornouailles à la fin du XVIIIe siècle, le breton et ses quatre dialectes, le trégorois, le léonard, le cornouaillais et le vannetais. Les unes sont dites goidéliques de nom des Goidels c'est-à-dire des Irlandais. Les autres sont dites brittoniques du nom des Brittons, c'est-à-dire des anciens habitants de la Grande-Bretagne. Les différences des deux groupes sont grandes.

Les nombreuses langues celtiques anciennes sont représentées par ce que l'on appelle le gaulois, où se confondent les débris de plusieurs dialectes, sinon de plusieurs langues, parlés sur le continent et dans l'île de Bretagne. Ces débris comprennent une soixantaine d'inscriptions, les unes en caractères étrusques ou grecs et échelonnés entre la descente des Gaulois en Italie et la conquête de la Gaule, les autres en caractères latins, caractères épigraphiques ou cursive, dont les plus récentes sont de peu postérieures à la conquête. Le reste est fait de noms propres, les uns inscrits sur des monnaies, les autres conservés par la tradition gréco-latine, et de quelques noms communs.

Le vieil irlandais est connu par les inscriptions dites oghamiques, écrites avec un alphabet spécial dont les plus anciennes remontent au Ve siècle, par quelques inscriptions en caractères latins et par des gloses copieuses du VIIIe au IXe siècle ; le vieux brittonique par des gloses beaucoup moins développées de la même époque, par les noms propres des inscriptions chrétiennes de la Grande-Bretagne et par ceux de la tradition bretonne.

L e nombre et la position des traits incisés de part et d'autre de l'arête permet d'identifier sur les stèles les caractères de l'écriture oghamique. En page de gauche, la pierre de Castelkeeran (Irlande).

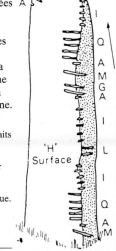

Le message de la langue

Les Celtes de l'extrême Occident – Bretons, Ecossais, Gallois et Irlandais – sont aujourd'hui les seuls à perpétuer la mémoire des anciens peuples celtiques [...].

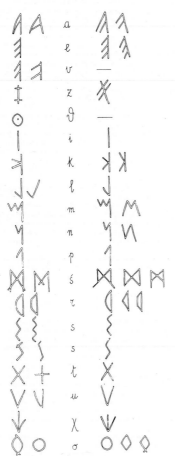

L es inscriptions celtiques dites lépontiques sont apparues très tôt dans l'Italie du Nord. A gauche l'alphabet utilisé au VIe siècle av. J.-C.; à droite, celui des IIe et IIe siècles av. J.-C.

C'est grâce à eux qu'a été préservé l'héritage d'une littérature originale, œuvre de générations de poètes anonymes, déjà plusieurs fois séculaire lorsqu'elle fut enregistrée, à l'aube du Moyen Age, par les moines irlandais. Derniers détenteurs d'une tradition orale qui, dans les autres pays de souche celtique, s'est dissoute dans l'univers luxuriant des légendes folkloriques, les Celtes insulaires ont maintenu en vie une expression figurative qui occupe une place aussi importante que leurs récits épiques et mythologiques dans le trésor culturel que nous ont laissé les peuples de l'Europe ancienne. [...]

Une place de plus en plus importante est faite actuellement à une catégorie particulière de vestiges archéologiques : les textes, malheureusement courts et peu nombreux, qui furent écrits dans leur langue par les anciens Celtes, à l'aide de différents alphabets empruntés au monde méditerranéen. [...]

Les Celtes émergent de l'anonymat des peuples sans écriture de l'Europe ancienne vers la fin du IVe siècle av. J.-C. Séparée depuis près de deux millénaires du tronc indo-européen, leur famille linguistique avait

Dalle de pierre de Vaison-la-Romaine du IIe ou Ier siècle av. J.-C., portant des inscriptions en gallo-grec, et sorte de contrat gravé en celtibère sur une tablette de bronze du VIe siècle av. J.-C. retrouvée dans la province de Saragosse.

derrière elle, à cette époque, un long passé et se répartissait en plusieurs groupes distincts qui occupaient de vastes territoires de l'Europe centrale occidentale. [...]

L'analyse des inscriptions dites «lépontiques», rédigées à la fin du VIe siècle av. J.-C. en caractères dérivés de l'alphabet étrusque, indique cependant que les groupes celtiques, les premiers qui firent usage de l'écriture pour enregistrer leur langue, étaient déjà bien intégrés en Italie septentrionale – dans la Lombardie actuelle et peut-être même plus au sud – lorsque leurs cousins transalpins vinrent s'installer dans la plaine du Pô et descendirent jusqu'à Rome.

Venceslas Kruta,
Les Celtes en occident,
Éditions Atlas, Paris, 1955

Les Celtes furent-ils des guerriers sanguinaires ?

Les auteurs anciens ont mis en avant le courage et la cruauté des Celtes, rendant ainsi honneur aux guerriers valeureux qui avaient osé les affronter. Ces farouches combattants qui, méprisant la mort, donnaient l'assaut à moitié nus étaient, face aux Romains, nettement désavantagés par la nature de leur armement et leur manque d'organisation.

Jamblique, auteur grec d'origine syrienne du IIe siècle apr. J.-C., ou Victor Duruy, historien et homme politique français du XIXe siècle, ministre de l'Instruction publique, s'accordent sur un élément d'importance capitale : quels que soient leurs talents de guerriers, les Celtes n'étaient pas effrayés par la perspective de la mort.

Tous les Galates [Celtes], les Triballes [Thraces] et beaucoup d'autres barbares croient en l'immortalité de l'âme, ils n'ont pas peur de la mort et vont au-devant du danger.

Jamblique

L'Occident n'a pas vu de peuple qui jouât plus facilement avec la vie et courût avec moins de crainte au-devant du fer, dans les combats, dans les duels, dans l'immolation volontaire des victimes pour les sacrifices, et jusque dans les festins. On en voyait, pour un peu de vin, tendre, après la coupe vidée, la gorge au couteau et mourir en riant. La mort n'était pour eux qu'un passage étroit et sombre au-delà duquel ils voyaient briller la lumière.

Victor Duruy,
Histoire des Romains depuis les temps les plus reculés jusqu'à l'invasion des barbares, Tome III, Hachette, 1881

Coupeurs de têtes

Diodore de Sicile fait ici allusion à une pratique des Celtes dont la réalité n'a jamais pu être tout à fait établie.

Aux ennemis tombés, ils enlèvent la tête qu'ils attachent au cou de leurs chevaux ;

puis remettant à leurs serviteurs les dépouilles ensanglantées, ils emportent ces trophées, louant les dieux en chantant un hymne de victoire ; enfin ils clouent à leurs maisons ces prémices du butin, comme s'ils avaient, en quelque chasse, abattu de fiers animaux. Quant aux têtes de leurs ennemis les plus illustres, imprégnées d'huile de cèdre, ils les gardent avec soin dans un coffre et ils les montrent aux étrangers, chacun se glorifiant de ce que, pour telle ou telle de ces têtes, un de ses ancêtres, son père ou lui-même n'a pas voulu recevoir une grosse somme d'argent. On dit que quelques-uns d'entre eux se vantent de n'avoir pas accepté pour une de ces têtes son pesant d'or, montrant ainsi une grandeur d'âme remarquable pour des barbares, car il n'est pas noble de vendre les trophées de cette valeur.

Diodore de Sicile,
Bibliothèque historique, V/29

Le terrible carnage de Télamon : des Gaulois effrayants mais vaincus

Une bataille décisive opposa, en l'an 225 av. J.-C., les Gaulois cisalpins coalisés, renforcés par des mercenaires transalpins, les Gésates, aux forces de Rome. Le choc eut lieu à Télamon, sur la côte de l'Etrurie septentrionale. Polybe raconte, sans doute d'après les dires d'un témoin oculaire, Fabius Pictor :

Les Insubres et les Boïens allaient à la bataille vêtus de braies et de sayons commodes qu'ils avaient enroulés autour d'eux, mais les Gésates, dans leur présomption et leur assurance s'en étaient dépouillés et s'étaient placés au premier rang, nus, avec leurs seules armes, s'imaginant qu'ils se battraient mieux ainsi... Le premier combat fut livré sur la colline. Une quantité de cavaliers des

deux armées s'y heurtèrent pêle-mêle[...].

Ensuite, quand les troupes d'infanterie entrèrent en contact ce fut une rencontre unique et extraordinaire[…]. La quantité de buccins et des fanfares était incalculable et il s'y ajoutait une si vaste et forte clameur de toute cette armée poussant en chœur son chant de guerre, que non seulement les instruments et les soldats, mais encore les lieux environnants qui en répercutaient l'écho paraissaient donner de la voix ; effrayants aussi étaient l'aspect et le mouvement de ces hommes nus du premier rang, remarquables par l'éclat de leur vigueur et de leur beauté. Tous ceux des premières lignes étaient parés de colliers et de bracelets d'or. Et les Romains, en voyant tout cela étaient, tantôt saisis de frayeur et tantôt dans l'espoir du butin, doublement animés au combat.

Quand les soldats armés de javelots [...] firent pleuvoir une grêle de traits drus et vigoureux, les sayons et les braies furent d'une grande commodité pour les Gaulois des rangs postérieurs, mais le coup, survenant d'une façon imprévue, causa au contraire beaucoup de désarroi et de souffrance aux hommes nus des premiers rangs : car le bouclier gaulois ne pouvant pas couvrir entièrement la personne, plus les corps étaient nus et grands, mieux les traits pénétraient les parties découvertes. Finalement, ne pouvant pas contre-attaquer leurs assaillants à cause de la distance et de la grêle de traits, malmenés et durement éprouvés par la situation, les uns périrent en se jetant aveuglément sur les ennemis sous l'effet de la colère et de l'égarement et en s'offrant volontairement aux coups et les autres désorganisèrent les rangs de derrière en reculant progressivement et en laissant voir leur effroi. Ainsi fut brisé l'orgueil des Gésates sous le choc des javelots, mais la masse des Insubres, des Boïens et des Taurisques, dès que les Romains, après avoir ouvert les rangs à leurs tireurs, eurent lancé sur eux les manipules, se rua sur l'ennemi et engagea un violent corps à corps. Criblés de blessures, ils gardaient un moral égal à lui-même mais étaient désavantagés collectivement et individuellement par une seule chose, la nature de leur armement. Leurs boucliers étaient bien inférieurs pour la protection, leurs épées bien inférieures pour le combat, car l'épée gauloise ne frappait que de taille. Quand la cavalerie romaine descendant des hauteurs les chargea vigoureusement de flanc, l'infanterie gauloise fut taillée en pièces sur place et la cavalerie prit la fuite.

Polybe, *Histoires*, II/28-30

La tactique des chars gaulois

Les chars de guerre gaulois, constructions légères, propres aux Celtes, allient rapidité d'action et maniabilité. Leurs assauts sont redoutés.

Voici comment les Bretons combattent de ces chars. Ils commencent par courir de tous côtés en lançant des traits : la peur qu'inspirent leurs chevaux et le fracas des roues suffisent en général à jeter le désordre dans les rangs ; puis, ayant pénétré entre les escadrons, ils sautent à bas de leurs chars et combattent à pied. Cependant, les conducteurs sortent peu à peu de la mêlée et placent leurs chars de telle manière que, si les combattants sont pressés par le nombre, ils puissent aisément se replier sur eux. Ils réunissent ainsi dans les combats la mobilité du cavalier à la solidité du fantassin ; leur entraînement et leurs exercices quotidiens leur permettent, quand leurs chevaux sont lancés au galop sur une pente très raide, de les tenir en main, de pouvoir rapidement les mettre à petite allure et de les faire tourner ; ils ont aussi l'habitude de courir sur le timon, se tenir ferme sur le joug, et, de là, rentrer dans leurs chars en un instant.

César,
Sur la guerre des Gaules, II/39

Le vrai guerrier celte est un cavalier

Lors de la conquête romaine, de toutes les façons de combattre, les Gaulois préféraient les batailles à cheval. Mais ce n'était pas la méthode qu'ils avaient le plus anciennement pratiquée.

Comme les Grecs et les Latins, les Celtes et les Belges avaient débuté dans l'art de la guerre par la bataille sur un char. Le contact des armées méditerranéennes amena ceux d'Italie et d'Orient à renoncer à ce vieil usage. Il disparut moins vite de la Gaule et de la Bretagne, où certaines nations conservèrent obstinément l'arme de leurs ancêtres [...]. Dans la Celtique propre, celle des Arvernes et des Eduens, le char de guerre n'était plus, à la fin du second siècle, qu'un attirail d'honneur, un véhicule de parade et de triomphe, ce qu'il était devenu et demeuré dans la Rome des consuls. Chez les Belges, au contraire, plus récemment formés, plus éloignés dans les armées civilisées, il fut plus longtemps l'équipage habituel du combattant, et il y eut des peuples parmi eux, les Rèmes, je crois, qui y tenaient comme à l'attribut distinctif de leur nom. [...] Ce n'était pas d'ailleurs une mauvaise façon de combattre : les chars, à deux roues, portaient un conducteur et un soldat. Fort légers, ils arrivaient sur l'ennemi très rapidement : debout, ayant l'avantage de la hauteur, assez près pour ne pas manquer le but, le combattant lançait sa pique ou son javelot, puis

s'éloignait en toute hâte ou, s'il le préférait, descendait pour se servir de l'épée. [...]

Mais le noble gaulois, au temps de César, se bat de préférence à cheval. Il fut sans doute une époque où la bête servait au combattant, non pas de monture, mais de véhicule, je veux dire qu'elle était un moyen de gagner plus vite le lieu de la mêlée, et d'y faire plutôt office de fantassin : l'équitation ne faisait alors que simplifier le rôle du char de guerre. Mais le cheval de guerre est devenu, si je puis dire, un organe de combat. Les mots de «chevalerie» et d'«aristocratie», de «cavalier» et de «noble», passaient, non peut-être pour synonymes, en tout cas pour inséparables. Quand les monnayeurs

veulent symboliser la marche à l'ennemi, c'est presque toujours un cheval qu'ils représentent : le coursier galopant, conduit par une force divine, à demi dieu lui-même, voilà l'image de la Gaule en état de guerre. [...]

Toutes les armes, surtout dans les milieux celtiques, semblent subordonnées à l'arme noble, l'épée, l'arme du proche contact : de même que, de toutes les attitudes de combat, on préfère la parade à cheval. – Le vrai guerrier celte, c'est donc un cavalier de choc et de mêlée, qui charge et qui sabre.

Camille Jullian,
Histoire de la Gaule, Hachette, 1920

L'épée celtique, longue mais lourde et encombrante

Pour l'attaque, les Gaulois avaient trouvé l'arme qui convient le mieux à des cavaliers ou à des fantassins de grande taille : la longue épée de fer, sans pointe, large, plate, au double tranchant effilé, celle qui permet à un bras vigoureux, mis en branle du haut d'un cheval, d'entamer ou d'abattre le corps d'un adversaire. Ils tenaient à cette arme ; ils en forgèrent, pour leurs multitudes, d'énormes quantités : c'est sans doute à cause d'elle qu'ils occupèrent si souvent en Europe les gisements de fer, et qu'ils devinrent, au détriment du bronze, les principaux propagateurs du nouveau métal. La grande épée leur assura peut-être la victoire sur certaines populations ligures ou illyriennes du Centre, encore peu habituées aux armes de contact ; sa force tranchante a dû être pour beaucoup dans le premier émoi du monde méridional, qui n'était plus familiarisé qu'avec les courtes épées de pointe. Véritable sabre de cavalerie, l'arme celtique semblait avoir ce double avantage de tenir l'ennemi à distance et de pouvoir l'atteindre.

Mais les adversaires des Gaulois reconnurent vite les défauts de cet instrument redoutable. Contre le péril de la taille, les Romains renforcèrent l'armature de leurs boucliers et de leurs casques : et l'épée gauloise, molle et mal trempée, à la lame trop mince, se faussa aux premiers coups. Elle ne frappait pas d'estoc : pour l'éclater, les soldats latins n'eurent qu'à s'armer de longues lances. Lourde et encombrante, il était malaisé au bras de la manier avec rapidité et précision : le Gaulois frappait sans viser, avec un mouvement de tout son corps, comme un bûcheron qui veut fendre un billot de bois. Rien de plus facile, pour un adversaire averti, que d'éviter de tels coups : l'arme du Barbare tombait alors dans le vide, et il demeurait lui-même ébranlé et démonté par l'inutile effort qu'il avait fait, incapable de répondre à une riposte un peu vive. Cette épée ressemblait à son maître : elle était, comme lui, faite pour l'ostentation et destinée à l'inconsistance.

Camille Jullian,
op. cit.

Le traitement des lames

Cependant, la meilleure image du développement progressif de la production du fer nous est offerte par les analyses métallographiques de plusieurs types d'outils, et plus spécialement les lames à couper. Si nous comparons la situation avec celle de la fin de l'époque de Hallstatt [...] nous constatons des proportions différentes dans l'utilisation des matériaux durs aciérés et des techniques savantes : la fabrication de lames en fer doux ne se retrouve que dans 15 à 30 % des cas ; les lames en acier représentent 23 à 55 % ; celles qui combinent les bandes de fer et d'acier pour améliorer les tranchants sont au nombre de 7 à 15 %. Dans le dernier cas, nous observons des constructions intentionnelles avec acier au niveau du tranchant. On comprend que la soudure de deux matériaux aussi différents que le fer et l'acier exige une grande habileté et une longue expérience technique. Le plus significatif est que les forgerons de la fin de l'époque de La Tène étaient, en général, familiers du processus de durcissement des aciers à teneur moyenne et haute en carbone, par la technique du recuit et de la trempe. Cette sorte de traitement à haute température était utilisée dans 70 % des cas lorsque l'acier à durcir avait au moins 0,35 % de carbone.

Radomir Pleiner, «Les débuts de la métallurgie du fer chez les Celtes», in *La Documentation française*, 1988

La guerre des nerfs : les contorsions du héros

Qu'y a-t-il de commun entre le prince de Hochdorf, le guerrier itiphallique de Hirschlanden et Cuchulainn, le héros du Cycle d'Ulster, encore appelé «le contorsionné» : réminiscence de figures de

l'art celtique du continent, usage à la fois stratégique et mythologique de la métamorphose ? Par son seul aspect, le héros galvanise son adversaire, car c'est la divinité de la guerre qui, sous ses traits, sème la terreur.

Le *Cycle d'Ulster* est, à juste titre le plus connu et le mieux étudié de tous les cycles historiques car il est le plus riche en légendes et comporte à la fois le héros le plus célèbre [Cuchulainn] et l'épopée la plus importante de la littérature irlandaise.[…] Cuchulainn a été souvent comparé à Achille : comme lui il est le fils d'un être divin [Lug, dieu de la guerre], comme lui, il meurt jeune mais couvert de gloire. L'aura héroïque se manifeste chez lui par une sorte de clarté, *luan laith* ; mais on craint surtout chez lui les contorsions redoutables qui constituent sa préparation au combat : on le surnomme le Riastartha «le Contorsionné». «Toutes ses chairs tremblaient […] son corps se retournait dans sa peau, ses pieds, ses tibias et ses genoux allaient en arrière, ses talons, ses mollets et ses cuisses venaient en avant. Les tendons de ses mollets, passés devant ses tibias, étaient ramassés chacun en une boule aussi grosse qu'un poing de guerrier. Les tendons de sa tête étaient tendus jusqu'à la nuque et transformés en des boules énormes, aussi grosses que la tête d'un enfant d'un mois. Son visage devint une cavité rouge. Il avala l'un de ses yeux si profondément à l'intérieur de sa tête, qu'une grue sauvage n'aurait pas pu l'atteindre de son bec. L'autre œil était exorbité et retombait sur la joue.» Ce sont des transformations magiques, grâce auxquelles le guerrier est habité ou possédé par la déesse de la guerre.

P.-Y. Lambert, *Les Littératures celtiques*, PUF, Que Sais-je ?, Paris, 1981

Les druides

Hommes des chênes, les druides sont placés au sommet d'une hiérarchie religieuse qui comprend les ovates et les bardes. Après une initiation longue et sévère, ils forment une élite détentrice de la puissance et de la science. Théologie, morale et législation sont leurs prérogatives, au même titre que l'astronomie ou la divination.

Des Balkans à la Bretagne : hypothétiques origines du druidisme

En fait, nous ne connaissons le druidisme que tardivement, à une époque déjà très avancée de la civilisation celtique, à un moment où il est devenu un clergé raisonnant, «une classe de philosophes», disent certaines sources antiques. Nous ne le trouvons mentionné que dans une partie bien déterminée du domaine celtique, en Gaule et en Bretagne. Rien ne nous autorise à en faire une institution «panceltique». [...]

L'origine de ce sacerdoce serait orientale, a-t-on dit ; les Celtes l'auraient emprunté aux Gètes avec lesquels ils se sont en effet trouvés en contacts fréquents et généralement belliqueux. On trouve en effet, chez les Gètes, qu'un ancien esclave de Pythagore, Zalmoxis,

aurait prêché une doctrine assez voisine de celle que l'on prête aux druides et l'un de ses successeurs, «choisissant dans les familles royales des hommes à l'âme noble et à l'esprit sage, leur persuada de se vouer au culte de certaines divinités et d'honorer leurs sanctuaires» (Strabon, VII, 3, 5). Bien plus, il est rapporté que, lors de l'invasion de la Gétie par Philippe de Macédoine, quelques prêtres de ceux que les Gètes nomment «les pieux», vêtus de robes blanches et des harpes à la main, seraient retournés chez eux. […]

De telles indications peuvent-elles prévaloir contre l'affirmation si nette de César : «La discipline des druides a été trouvée en Bretagne et c'est de là, suppose-t-on, qu'elle est passée en Gaule; actuellement encore, ceux qui veulent l'étudier à fond s'en vont la plupart du temps, terminer leur formation dans l'île.»

Albert Grenier, *Les Gaulois*, Petite Bibliothèque Payot, Paris, 1970

Mystère, doctrine et sacerdoce

Poète et historien, prophète et archiviste, Jules Michelet s'est penché avec tendresse sur les croyances de ce peuple dont les Romains disaient qu'il préférait mesurer le temps avec les nuits qu'avec les jours…

Les druides enseignaient que la matière et l'esprit sont éternels, que la substance de l'univers reste inaltérable sous la perpétuelle variation des phénomènes où domine tour à tour l'influence de l'eau et du feu ; qu'enfin l'âme humaine est soumise à la métempsycose. A ce dernier dogme se rattachait l'idée morale de peines et de récompenses; ils considéraient les degrés de transmigration inférieurs à la condition humaine comme des états d'épreuve et de châtiment. Ils avaient même un autre monde, un monde de bonheur. L'âme y conservait son identité, ses passions, ses habitudes. Aux funérailles, on brûlait des lettres que le mort devait lire ou remettre à d'autres morts. Souvent même ils prêtaient de l'argent à rembourser dans l'autre vie.

Ces deux notions combinées de la métempsycose et d'une vie future faisaient la base du système des druides. Mais leur science ne se bornait pas là ; ils étaient de plus métaphysiciens, physiciens, médecins, sorciers, et surtout astronomes. Leur année se composait de lunaisons, ce qui fit dire aux Romains que les Gaulois mesuraient le temps par nuits et non par jours ; ils expliquaient cet usage par l'origine infernale de ce peuple, et sa descendance du dieu Pluton. La médecine druidique était uniquement fondée sur la magie. […] Mais le remède universel, la panacée, comme l'appelaient les druides, c'était le fameux gui. Ils le croyaient semé sur le chêne par une main divine, et trouvaient dans l'union de leur arbre sacré avec la verdure éternelle du gui un vivant symbole du dogme de l'immortalité. On le cueillait en hiver, à l'époque de la floraison, lorsque la plante est plus visible et que ses longs rameaux verts, ses feuilles et les touffes jaunes de ses fleurs, enlacés à l'arbre dépouillé, présentent seuls l'image de la vie, au milieu d'une nature morte et stérile.

C'était le sixième jour de la lune que le gui devait être coupé ; un druide en robe blanche montait sur l'arbre, une serpe d'or à la main, et tranchait la racine de la plante, que d'autres recevaient dans une saie blanche ; car il ne fallait pas qu'elle touchât la terre. Alors on immolait deux taureaux blancs dont les cornes étaient liées pour la première fois.

Les druides prédisaient l'avenir d'après le vol des oiseaux et l'inspection des entrailles des victimes. Ils fabriquaient aussi des talismans, comme les chapelets d'ambre que les guerriers portaient sur eux dans les batailles, et qu'on retrouve souvent à leur côté dans les tombeaux. Mais nul talisman n'égalait l'œuf de serpent. Ces idées d'œuf et de serpent rappellent l'œuf cosmogonique des mythologies orientales, ainsi que la métempsycose et l'éternelle rénovation dont le serpent était l'emblème.

Des magiciennes et des prophétesses étaient affiliées à l'ordre des druides, mais sans en partager les prérogatives. Leur institut leur imposait des lois bizarres et contradictoires ; ici, la prêtresse ne pouvait dévoiler l'avenir qu'à l'homme qui l'avait profanée ; là, elle se vouait à une virginité perpétuelle; ailleurs, quoique mariée, elle était astreinte à de longs célibats. Quelquefois ces femmes devaient assister à des sacrifices nocturnes, toutes nues, le corps teint en noir, les cheveux en désordre, s'agitant dans des transports frénétiques. La plupart habitaient des écueils sauvages, au milieu des tempêtes de l'archipel armoricain. A Séna [Sein] était l'oracle célèbre des neuf vierges terribles appelées Sènes, du nom de leur île. Pour avoir le droit de les consulter, il fallait être marin et encore avoir fait le trajet dans ce seul but. Ces vierges connaissaient l'avenir ; elles guérissaient les maux incurables ; elles prédisaient et faisaient la tempête. [...]

La religion druidique avait sinon institué, du moins adopté et maintenu les sacrifices humains. Les prêtres perçaient la victime au-dessus du diaphragme, et tiraient leurs pronostics de la pose dans laquelle elle tombait, des convulsions de ses membres, de l'abondance et de la couleur de son sang; quelquefois ils la crucifiaient à des poteaux dans l'intérieur des temples, ou faisaient pleuvoir, jusqu'à la mort, une nuée de flèches et de dards. Souvent aussi, on élevait un colosse en osier ou en foin, on le remplissait d'hommes vivants, un prêtre y jetait une torche allumée, et tout disparaissait bientôt dans des flots de fumée et de flamme. Ces horribles offrandes étaient sans doute remplacées souvent par des dons votifs. Ils jetaient des lingots d'or et d'argent dans les lacs, ou les clouaient dans les temples.

Un mot sur la hiérarchie. Elle comprenait trois ordres distincts. L'ordre inférieur était celui des bardes, qui conservaient dans leur mémoire les

généalogies des clans, et chantaient sur la *rotte* les exploits des chefs et les traditions nationales ; puis venait le sacerdoce proprement dit, composé des ovates et des druides. Les ovates étaient chargés de la partie extérieure du culte et de la célébration des sacrifices. Ils étudiaient spécialement les sciences naturelles appliquées à la religion, l'astronomie, la divination, etc. Interprètes des druides, aucun acte civil ou religieux ne pouvait s'accomplir sans leur ministère. Les druides, ou hommes des chênes, étaient le couronnement de la hiérarchie. En eux résidaient la puissance et la science. Théologie, morale, législation, toute haute connaissance était leur privilège. L'ordre des druides était électif. L'initiation, mêlée de sévères épreuves, au fond des bois ou des cavernes, durait quelquefois vingt années : il fallait apprendre de mémoire toute la science sacerdotale ; car ils n'écrivaient rien, du moins jusqu'à l'époque où ils purent se servir des caractères grecs.

Jules Michelet, «La Serpe d'or»,
Histoire romaine, Paris, 1831

Sur le gui

«Il ne faut pas oublier à propos du gui l'admiration que les Gaulois ont pour cette plante. Aux yeux des druides (c'est ainsi qu'ils appellent leurs mages), rien n'est plus sacré que le gui et l'arbre qui le porte, si toutefois c'est un rouvre. Le rouvre est déjà par lui-même l'arbre dont ils font les bois sacrés ; ils n'accomplissent aucune cérémonie religieuse sans le feuillage de cet arbre à tel point qu'on peut supposer au nom de druide une étymologie grecque [òpuc, chêne]. Tout gui venant sur le rouvre est regardé comme envoyé du ciel ; ils pensent que c'est un signe de l'élection que le dieu même a faite de l'arbre. Le gui sur le rouvre est extrêmement rare, et quand on en trouve, on le cueille avec un très grand appareil religieux. Avant tout, il faut que ce soit le sixième jour de la lune. Jour qui est le commencement de leurs mois, de leurs années et de leurs siècles qui durent trente ans; jour auquel l'astre, sans être au milieu de son cours, est déjà dans toute sa force. Ils l'appellent d'un nom qui signifie remède universel… Ayant préparé, selon les rites, sous l'arbre, des sacrifices et un repas, ils font approcher deux taureaux de couleur blanche, dont les cornes sont attachées alors pour la première fois. Un prêtre, vêtu de blanc, monte sur l'arbre et coupe le gui avec une serpe d'or ; on le reçoit sur une saie blanche ; puis on immole les victimes en priant que le dieu rende le don qu'il a fait propice à ceux auquel il l'accorde. On croit que le gui pris en boisson donne la fécondité à tout animal stérile, et qu'il est un remède contre tous les poisons. Tant, d'ordinaire, les peuples rêvèrent religieusement des objets frivoles !»

Pline, *Histoire Naturelle* XVI, 95.
Traduction de M. E. Littré

Juges du peuple

Les druides formaient non pas une caste héréditaire, mais un clergé se recrutant parmi les plus capables, avec un pontife suprême, des conciles et l'arme terrible de l'excommunication. Leur chef avait une autorité sans bornes. «A sa mort, le plus éminent en dignité lui succède ; ou, si plusieurs ont des titres égaux, l'élection a lieu par le suffrage des druides, et la place est quelquefois disputée par les armes. A une certaine époque de l'année, tous les druides s'assemblent dans un lieu consacré, sur la frontière du pays des Carnutes (Chartres), qui passe pour le point central de la Gaule. Là se rendent de toutes parts ceux qui ont des différends, et ils obéissent aux jugements et aux décisions des druides. Dans les cantons particuliers, les druides sont encore les juges du peuple. Si quelque crime a été commis, si un meurtre a eu lieu, s'il s'élève un débat sur un héritage ou sur les limites, ce sont eux qui statuent. Ils dispensent les récompenses et les peines. Lorsqu'un particulier ou un homme public ne défère point à leur décision, ils lui interdisent les sacrifices : c'est chez eux la punition la plus rare. Ceux qui encourent cette interdiction sont mis au rang des impies et des criminels ; tout le monde s'éloigne ; on fuit leur abord et leur entretien, comme si l'on craignait la contagion du mal dont ils sont frappés.

Tout accès en justice leur est refusé, et ils n'ont part à aucun honneur.

Victor Duruy, *op. cit.*

Le privilège du savoir

Les druides ne vont point à la guerre et ne payent pas d'impôts. Séduits par de si grands privilèges, beaucoup de Gaulois viennent auprès d'eux de leur propre mouvement, ou y sont envoyés par leurs proches. Là, dit-on, ils apprennent un grand nombre de vers ; il en est qui passent vingt années dans cet apprentissage. Il n'est pas permis de confier ces vers à l'écriture, et cependant, dans la plupart des affaires publiques et privées, ils se servent de lettres grecques. Il y a, ce me semble, deux raisons à cet usage : l'une est d'empêcher que leur science ne se répande dans le vulgaire ; l'autre que leurs disciples, se reposant sur l'écriture, ne négligent leur mémoire.

Taliessin : la fée et la liqueur de science

Il y avait une femme puissante, la fée

blanche, Koridwen, l'épouse de Hu-Ar-Bras, le premier des druides. Koridwen voulait faire sortir la science de la nuit, mais pour elle seule. Dans une chaudière elle mit les six plantes de grande vertu : l'herbe d'or (probablement une espèce de verveine), la jusquiame, le samolin (le vélar barbare), la verveine, la primevère et le trèfle. Tout autour étaient les perles de la mer. Le nain Korrig se tenait

presse toujours et prend, elle aussi, chaque fois, une forme supérieure et plus forte. D'abord, c'est une levrette qui chasse un lièvre jusqu'au bord d'une rivière. Le nain s'y jette et devient poisson; une loutre le poursuit et va le saisir, il se change en oiseau; un épervier fond sur lui, il se laisse tomber sur un tas de froment comme un grain de blé; la fée blanche devient aussitôt une poule noire

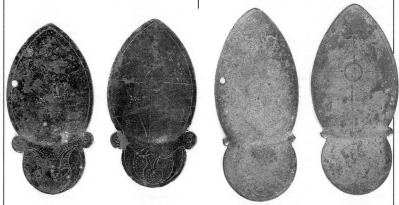

Au Ier siècle avant notre ère sont apparues en Irlande d'étranges cuillers cultuelles, dont les motifs, ciselés dans le métal, évoquent la partition de l'univers. Il semble probable qu'elles aient eu une fonction dans l'exercice divinatoire cher aux Celtes.

auprès, mêlant les herbes sacrées qui bouillonnaient dans le vase. L'aveugle Morda devait entretenir le feu pendant un an et un jour sans interruption. L'année expirait lorsque trois gouttes de la liqueur enflammée tombèrent sur la main de Korrig. Se sentant brûlé, il porta le doigt à sa bouche. Aussitôt la science se découvre à lui, il comprend et sait tout; excepté ces trois gouttes, le reste du breuvage était un poison. Le vase se renverse et se brise. Tout est perdu. La fée voit que le secret du monde lui échappe. Elle se jette sur le nain pour le tuer; lui, il fuit, changeant de forme pour dérouter la poursuite. Mais Koridwen le

qui le trouve et l'avale.

Mais la science, la vérité, ne peut périr. Dans le sein de l'ennemie, elle croît, se développe, et neuf mois après, Koridwen met au monde un enfant. Hu-Ar-Bras veut qu'il périsse; l'enfant est si beau, que Koridwen ne peut se résoudre à le tuer; elle le met dans un berceau et l'abandonne à la mer. Le fils d'un chef rencontre le berceau arrêté au rivage, et, en voyant le nouveau-né, s'écrie : Taliessin! (quel front radieux!) Le nom en resta à l'enfant. Taliessin eut la science profonde des druides et les chants harmonieux des bardes.

Victor Duruy, *op. cit.*

L'or des Celtes

Héritée de traditions sociales et religieuses de l'âge du bronze, l'orfèvrerie celtique n'a pas crée que des bijoux, mais produit des vaisselles, des armes d'apparat, souvent en or massif, utilisant une énorme quantité de matière première. Grecs et Romains ont beaucoup parlé du goût, presque excessif, que les Celtes avaient pour l'or, de leur habitude d'arborer des parures rutilantes en toutes circonstances. Le nombre et la richesse des gisements d'Europe celtique avait certes de quoi susciter des jalousies au sud des Alpes.

Le nerf de la conquête

César a souvent parlé de la «Gallia Aurifera», la Gaule riche en or. Malheureusement cet or a disparu en grande masse dans les creusets de Rome, les textes anciens en témoignent abondamment : Suétone, au Ier siècle, faisant allusion à César, signale que «en Gaule il dépouilla les temples et les sanctuaires des dieux remplis d'offrandes et détruisit les villes plus souvent pour faire du butin que pour punir la rébellion.

Il en résulta qu'il eut de l'or en abondance et qu'il le fit vendre en Italie et dans les provinces au prix de 3000 sesterces la livre» (Vie des douze Césars). On dit aussi que lorsque César conquit la Gaule, la valeur argent/or tomba de 1/11,91 à 1/8,93, car l'afflux d'or servait à abaisser sa valeur. Le trésor d'Etat du temps de César s'élevait à 25 000 lingots et la monnaie à 40 millions de sesterces. Mais cette accumulation de biens ne recueillait pas l'approbation générale, et nombreux furent même ceux qui en ressentirent de la honte :

Les richesses de la Gaule, ces biens de la Bretagne, ces guerres et ces vols, ces sinistres générosités, tout cela ne servira qu'à payer les débauches d'ignobles jouisseurs.

Catulle, *Carmina*, 29

Gisements et cachettes

En Gaule, il y a beaucoup d'or natif, que les indigènes recueillent sans peine. Comme les fleuves dans leur cours tortueux se brisent contre la racine des montagnes, les eaux en détachent et charrient avec elles des fragments de roches remplies de sables d'or. Ceux qui se livrent à ces travaux brisent les roches, enlèvent ensuite la partie terreuse par des lavages et font fondre le résidu dans des fourneaux. Ils recueillent de cette sorte une masse d'or qui sert à la parure des femmes aussi bien qu'à celle des hommes, car ils en font des anneaux qu'ils portent aux poignets et aux bras ; ils en fabriquent aussi des colliers massifs, des bagues et même des cuirasses. Les habitants de la Celtique supérieure offrent une autre singularité au sujet des temples. Dans les temples et les enceintes sacrées de ce pays, se trouve entassé beaucoup d'or offert aux dieux, et, quoique tous les Celtes aiment l'argent, pas un d'eux n'ose y toucher, tant la crainte des dieux les retient.

Diodore de Sicile, V/27

Strabon, dont un grand mérite est d'avoir toujours cherché à considérer les peuples en relation avec leur milieu naturel, a été impressionné par l'abondance des gisements et l'aisance de leur exploitation.

Les lacs ou étangs sacrés notamment offraient des asiles sûrs où l'on jetait l'or et l'argent en barre : les Romains le savaient et quand ils se furent rendus maîtres du pays, ils vendirent ces lacs ou étangs sacrés au profit du trésor public et plus d'un acquéreur y trouve aujourd'hui encore des lingots d'argent battu ayant la forme de pierres meulières. Le temple de Tolossa, vénéré comme il était de toutes les populations à la ronde, leur offrait aussi un asile inviolable, et naturellement les richesses s'y étaient accumulées, la piété multipliant les offrandes en même temps que la superstition empêchait d'y porter la main.

Strabon,
Géographie, IV/1, 13

Tarbelli et Tectosages foulent l'or de leurs pieds

Strabon vante les ressources du sud-ouest de la France, notamment de la région de Tarbes, aux pieds des Pyrénées.

Les Tarbelli qui en occupent les bords ont dans leur territoire les mines d'or les plus importantes qu'il y ait en Gaule car il suffit d'y creuser des puits d'une faible profondeur pour trouver des lames d'or épaisses comme le poing, dont quelques-unes ont à peine besoin d'être affinées. Mais en général, c'est sous forme de paillettes et de pépites que l'or s'y présente et dans cet état-là même, il n'exige jamais un grand travail d'affinage. [...]

La partie voisine des Cévennes, y compris le côté méridional de ces montagnes jusqu'à son extrémité, est occupée par les Volques surnommés Tectosages ; ils sont voisins des Pyrénées et atteignent quelques points du côté septentrional des Cévennes. Leur territoire abonde en mines d'or.

Strabon, IV/2, 1

Les Helvètes pêchent les pépites

Posidonios (rapporté par Athénée, VI), vers 80 avant J.-C., avait visité une partie de la Gaule. Il a décrit le procédé de l'orpaillage chez les Helvètes et le long du Rhin, «auquel se livrent surtout les vieillards et les femmes épandant dans le fleuve des toisons de mouton dont la laine recueille les pépites que charrient les fleuves ou qui ont été déposées dans leurs sables.»

Les Salasses épuisent les cours d'eau

Le territoire des Salasses [dans le val d'Aoste] [...] contient des mines d'or ;

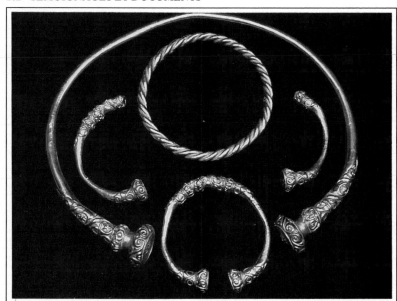

anciennement au temps de leur puissance, les Salasses avaient la propriété pleine et entière de ces mines, de même qu'ils étaient les seuls maîtres des passages dans cette partie des Alpes. La proximité du Durias [la Doire] contribuait singulièrement à faciliter leur exploitation en leur fournissant l'eau nécessaire au lavage des terrains aurifères d'autant qu'ils avaient multiplié en tous sens les canaux de dérivation jusqu'à épuiser même le courant commun. Seulement, ce qui les aidait, eux, à trouver l'or, gênait beaucoup les populations des plaines agricoles situées plus bas et il s'ensuivait naturellement un état de guerre perpétuel entre les Salasses et leurs voisins. Vint l'époque des conquêtes romaines ; les Salasses ne purent rester en possession de leurs mines ni de leur vallée.

Strabon, IV/6,7

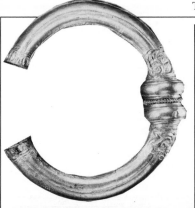

n'avait pas besoin ensuite de fouiller à plus de quinze pieds de profondeur et de tout le minerai extrait une bonne partie s'était trouvée être autant veut dire de l'or pur puisque des pépites de la grosseur d'une fève ou d'un lupin ne perdaient au feu qu'un huitième de leur volume, sans compter que le reste, tout en perdant davantage à la fusion, avait donné encore de magnifiques profits. Les Barbares, dans le commencement, avaient associé des Italiens à leur exploitation mais quand ils surent qu'en deux mois de temps la valeur de l'or par toute l'Italie avait baissé d'un tiers, ils

Les Taurisques et le cours de l'or

L'or des Alpes orientales fut fameux, à nouveau selon Strabon.

Un autre fait curieux dont nous devons la connaissance à Polybe est la découverte de gîtes aurifères opérée de son temps aux environs d'Aquilée chez les Taurisques de Norique et dans de si heureuses conditions qu'il avait suffi d'enlever deux pieds de terre à la surface du sol pour trouver le minerai. On

chassèrent ces associés étrangers comptant se réserver désormais le monopole de leurs mines. Aujourd'hui toutes les mines d'or du pays des Taurisques appartiennent aux Romains. Là, du reste, ainsi qu'en Ibérie, l'or ne s'extrait pas seulement des entrailles de la terre, on le retire aussi du lit des rivières qui le charrient sous forme de paillettes en moins grande quantité pourtant que celles de l'Ibérie.

Strabon, IV/6, 12

Vercingétorix fut-il le dernier héros celte ?

Alors qu'au IVe siècle une force sereine émane du prince de Hochdorf, la gloire du guerrier Vercingétorix est le résultat d'un parcours tourmenté, proche de celui de Brennus ou des héros de l'épopée irlandaise. «Son nom retentissait profond et terrible ; il semblait fait pour inspirer l'épouvante. »

«Rix», la désinence royale

Vercingétorix est issu d'une grande famille noble. Son père, Celtill, trop épris de pouvoir, fut supprimé par ses pairs.

Le nom de Vercingétorix a, dès la naissance, aussi bien appartenu au chef gaulois que celui de César à son adversaire. Mais si ce nom était synonyme de «grand roi des braves», ne doit-on pas supposer qu'il prédestinait le fils de Celtill à commander aux Arvernes et à toute la Gáule ? Quelques érudits ne sont pas loin de penser, aujourd'hui, que le nom de Vercingétorix, tout en étant le nom d'un homme, n'était et ne pouvait être celui que d'un très grand personnage, qu'il était réservé à des nobles, chefs de peuple en réalité ou en espérance.

Qu'on remarque en effet que tous les noms à désinence

semblable cités par César – Ambiorix, Cingétorix, Dumnorix, Eporédorix, Orgétorix – sont ceux de princes, de puissants ou de rois : il semble que nul ne pût s'appeler d'un nom en rix, c'est-à-dire se terminant par «roi», s'il n'appartenait à une lignée ou royale ou capable de le devenir. Sans doute, après la conquête romaine, les noms de ce genre furent portés par toutes sortes de gens, et des plus humbles : leur valeur sociale disparut en même temps que s'effaça le privilège des grandes familles. Mais à l'origine ces noms royaux sont spéciaux à ceux qui sont ou peuvent être rois, et c'était le cas de Vercingétorix, fils de Celtill [...].

Un chef de clan gaulois ne ressemble à aucun autre des maîtres d'hommes du monde antique, ni à l'eupatride grec, ni au patricien romain, ni au mélek phénicien, ni au roitelet de la Germanie. Il y avait chez lui à la fois la rudesse du Barbare et la souplesse de l'homme policé. Ne nous le

figurons pas comme un glorieux sauvage, épris seulement de combats sanglants, de chasses rapides et de beuveries sans fin. Certes, il aimait tout cela, et avec la fougue irréfléchie des natures encore neuves : les plus vives passions bouillonnaient en lui, et ne s'apaiseront jamais du reste chez notre aristocratie nationale, qui gardera en elle une survivance de ses premiers instincts. Mais le noble gaulois est autre chose qu'un brandisseur de glaives et un chevaucheur de grandes routes. Le Vercingétorix des statues classiques, dressant vers le ciel sa tête farouche et sa longue lance, est le chef des jours de bataille. Je crois que les hommes de son milieu connaissaient aussi des plaisirs plus fins et des goûts plus calmes.

Camille Jullian,
Vercingétorix,
Librairie Taillandier, 1963

Un héros militaire à peine sorti de l'adolescence

Mélange d'entrain et de méthode, de verve et de calcul, l'intelligence de Vercingétorix était de celles qui font les grands manieurs d'hommes : je ne doute pas qu'elle ne fût de taille à organiser un empire aussi bien qu'à sauver une nation. – A moins, toutefois, que le désir de vaincre et la continuité du péril n'aient tendu cette intelligence à l'extrême et ne lui aient donné une vigueur d'exception : tandis qu'en des temps pacifiques, elle se serait peut-être inutilement consumée.

Car, du premier jusqu'au dernier jour de sa royauté, Vercingétorix ne fut et ne put être qu'un chef de guerre : toutes les ressources de sa volonté et de son esprit furent consacrées à l'art militaire.

N'oublions pas, pour l'estimer à sa juste mesure, qu'il s'est improvisé général au sortir de l'adolescence, et que ses hommes étaient aussi inexpérimentés dans leur métier de soldats qu'il l'était dans ses devoirs de chef. De plus, ils avaient, lui et eux, à lutter contre la meilleure armée et le meilleur général que le monde romain ait produits depuis Camille jusqu'à Stilicon. Aussi ont-ils pu peut-être à résister pendant huit mois, autant de mérite qu'Annibal et ses mercenaires, vieux routiers de guerres, en ont eu à vaincre pendant huit ans.

Camille Jullian,
op. cit.

Vercingétorix se rend à César

On possède cinq récits différents de la reddition de Vercingétorix à César : celui d'un témoin oculaire, César lui-même ; ceux de trois écrivains de l'Empire, Florus, Plutarque, Dion Cassius ; celui d'un historien chrétien, Orose.

Des trois récits de Florus, de Plutarque et de Dion Cassius, il résulte que le Gaulois s'est livré lui-même. Jules César écrit : *Vercingetorix deditur*. Mais *deditur* peut tout aussi bien signifier «se livrer» qu'«être livré». [...]

Mais pour nous, qui cherchons à trouver dans l'apparence, dans les formules et les symboles, la pensée des hommes qui y ont eu recours, il est nécessaire, au contraire, de suivre minutieusement les détails de la cérémonie. C'est aux trois historiens narrateurs qu'il faut le demander.

1. *Le cercle à cheval.* – Plutarque nous fait connaître que Vercingétorix fit d'abord, à cheval, le tour de César assis. – Ce n'est point là un acte de bravade ni de parade, mais un cérémonial religieux, celui de la victime qui se présente.

2. *Les armes arrachées.* – Il sauta ensuite à bas de son cheval, arracha ses phalères et ses armes, les jeta aux pieds de César, en lui présentant sans doute aussi son cheval. – Ces détails, qui viennent à la fois de Plutarque et de Florus, signifiaient chez Vercingétorix l'aveu de sa défaite et sa transformation en vaincu ou captif.

3. *La supplication.* – Plutarque écrit qu'«il s'assit aux pieds de César» ; et Dion Cassius, qu'«il tomba à genoux», ce qui est plus précis et plus vraisemblable. Ce dernier ajoute : «Tendant en avant les deux mains, il prit l'attitude d'un suppliant.» *Supplex*, dit aussi Florus. – Mais cette supplication muette n'est pas la prière d'un vaincu qui demande pardon à un ennemi. Elle est le geste d'un homme qui s'adresse à une divinité, et dans l'espèce, à César vainqueur, auquel Vercingétorix se donne en victime volontaire. Elle est le symbole final et comme le résumé de la cérémonie tout entière de la reddition.

4. *Des paroles qui furent échangées.* – D'après Plutarque et Dion Cassius, qui sont formels à ce propos, Vercingétorix ne prononça aucune parole en se présentant ainsi à César, et je le crois. – Florus, au contraire, lui fait dire ces quelques mots : *Habes ; fortem virum, vir fortissime, vicisti.*

La contradiction qui paraît entre ces deux traditions peut être écartée de deux manières : ou bien Florus, qui recherche les mots à effet, aura inventé celui-là, ce qui, jusqu'à nouvel ordre, me paraît plus vraisemblable ; ou bien Vercingétorix les aura prononcés vraiment, non pas tout de suite, mais en réponse aux paroles de César. Car, au dire de Dion Cassius, tandis que tout le monde se taisait, Vercingétorix comme les Romains, le proconsul invectiva son adversaire, lui reprochant d'avoir rompu l'amitié d'autrefois. C'est alors que le Gaulois fit peut-être la très brève et très digne réponse que Florus lui attribue.

5. *La fin de l'entrevue.* – César, disent Plutarque et Dion Cassius, le fit emprisonner et réserver pour le triomphe. Et Dion mentionne deux fois, au moment de sa reddition et au cours des triomphes, à la date de 46, l'exécution de Vercingétorix.

Camille Jullian,
Notes gallo-romaines, in *Revue des
Etudes anciennes*, 1901

L'homme qui n'a pas sauvé la Gaule, réquisitoires modernes

Si l'art de la guerre consiste principalement à ne jamais faire à l'ennemi ce que l'ennemi désirerait qu'on lui fit, Vercingétorix avait prouvé qu'il en ignorait l'a b c; et c'est d'Alésia, devant Alise-Sainte-Reine, qu'on mesure le mieux, et son impéritie, et l'envergure de César. Les fautes du chef gaulois furent si lourdes qu'il s'est rencontré récemment un érudit pour l'accuser de n'avoir été qu'un agent aux mains de l'ennemi. Le paradoxe doit être écarté ; mais il reste que l'incapacité de Vercingétorix l'a conduit au désastre irréparable.

Que l'on ne m'accuse pas d'être injuste. Je ne suis pas plus sévère que Montaigne écrivant dans ses *Essais* : «Il semble être contraire et à l'usage et à la raison de la guerre que Vercingétorix qui estait nommé chef et général de toutes les parties des Gaules révoltées prirent parti de s'aller enfermer dans Alésia. Car celui qui commande à tout un pays ne se doit jamais engager au cas de cette extrémité que s'il y allait de sa dernière place et qu'il n'y eust rien de plus à espérer qu'en la défense d'icelle.» Je serai moins dur que Paul Claudel écrivant en une lettre du 21 janvier 1951, dont copie fut prise chez un marchand d'autographes : «J'ai été moi-même à

Alésia, et si le récit de César est exact il faut que l'armée gauloise, pour s'y laisser enfermer, ait eu à sa tête un homme d'une stupidité phénoménale.»

Je sais les circonstances atténuantes qui diminuent la responsabilité du jeune chef arverne : les feintes, les fausses nouvelles dont César l'a abusé ; la stratégie savante sous laquelle il l'a finalement accablé ; et toutes les fois que je retourne à Alésia et que je revois ce mont Auxois au pied duquel le proconsul romain a creusé le tombeau de l'indépendance gauloise, je ne puis m'empêcher de répéter le jugement qu'avant même d'avoir approfondi le sujet comme aujourd'hui j'avais porté sur le génie du vainqueur : «César avait lu avec la même surprenante perspicacité entre les lignes du terrain et dans l'esprit des hommes pour amener Vercingétorix sur l'emplacement prédestiné d'Alésia, comme jadis Hannibal enlisa Flaminius au Trasimène, comme dix-huit siècles plus tard Napoléon attirera les Autrichiens à Austerlitz.»

Jérôme Carcopino,
Alésia et les ruses de César,
Flammarion, Paris

BIBLIOGRAPHIE

Biel J., *Der Keltenfürst von Hochdorf*, Theiss, Stuttgart, 1985.

Colbert de Beaulieu J.-B., *Traité de numismatique celtique*, Paris, 1973.

Duval A., *L'Art de la Gaule celtique au Musée des Antiquités nationales*, R.M.N., Paris, 1985.

Duval P.-M., *Les Celtes*, L'Univers des formes, Gallimard, 1977.

Eluère Ch., *L'Or des Celtes*, Bibliothèque des Arts, Paris, 1987.

Guyonvarc'h C.-J., *Les Druides*, Ouest-France.

Joffroy R., *Vix et ses trésors*, Taillandier, Paris, 1979.

Kruta W., *Les Celtes en Occident*, Atlas, Paris, 1985.

Kruta V., Lessing E., Szabo M., *Les Celtes*, Hatier, Paris, 1978.

Megaw R.., *Celtic Art from its beginnings to the Book of Kells*, Thames and Hudson,

Mohen J.-P., Duval A., Eluère Ch., *Les Princes celtes et la Méditerranée*, Ecole du Louvre/Documentation française, Paris, 1988.

Powell T. G. E., *The Celts*, Thames and Hudson, Londres, 1989.

Sharkey J., *Celtic Mysteries*, Book Club Associated, Londres, 1975.

Szabo M., *Les Celtes de l'Est*, Errance, Paris, 1992.

Catalogues d'expositions :

«Die Kelten in Mitteleuropa», Salzbourg, 1980.

«Trésors d'Irlande», AFAA, Paris, 1982.

«Au temps des Celtes, Ve au Ier siècle av. J.-C., Abbaye de Daoulas, Musée Départemental Breton de Quimper, 1986.

«Trésors des princes celtes», R.M.N., Paris, 1987.

«Archéologie de la France», R.M.N., Paris, 1989.

«I Celti, Les Celtes», Bompiani, Milan, 1991.

TABLE DES ILLUSTRATIONS

St-Germain-en-Laye.
16h Reconstitution
d'un tumulus de l'âge
de fer à Kilchberg,
Tübengen (Bade-
Wurtemberg).
16m Vase de Sublaines
(Indre et Loire). MAN,
St-Germain-en-Laye.
17h Pectoral en
bronze, Les Moidons
(Jura). MAN, St-
Germain-en-Laye.
18/19 Fourreau d'épée,
Hallstatt.
18g Tête de hache,
dessin aquarellé.
Bibliothèque du MAN,
St-Germain-en-Laye.
18d Tête de hache
enbronze, Hallstatt
(Autriche).
Naturhistorisches
Museum, Vienne.
19h Détail d'un
fourreau d'épée,
Hallstatt, Ve av. J.-C.
Naturhistorisches
Museum, Vienne.
20h Ciste à cordons en
bronze, tumulus du
Monteau-Laurent à
Magny-Lambert (Côte-
d'Or), VIIIe s. av. J.-C.
MAN, St-Germain-en-
Laye.
20b Fibules en bronze,
recto-verso, VIIIe s. av.
J.-C. Naturisches
Museum, Vienne.
21 Epées à grandes
lames de fer, et autres
objets, dessin aquarellé
VIIe s. av. J.-C.
Bibliothèque du MAN,
St-Germain-en-Laye.
22 Chaussure de
mineur, Dürrnberg
près de Hallein
(Salzbourg). Museum
Carolino Augusteum,
Salzburg.
23 Fouilles dirigées
par la grande duchesse
de Mecklenburg à

Hallstatt en 1907.
24/25 Relevés de
tombe, sur le site de
Hallstatt, par John
Georg Ramsauer, 1846,
dessins aquarellés par
Isidor Engel.
Naturhistorisches
Museum, Vienne.
26h Mine de Hallstatt
(Autriche), vue directe.
Bibliothèque du MAN.
26m Pioche, mine de
sel de Dürrnberg,
Hallein. Museum
Carolino Augusteum,
Salzbourg.
26b Seau, mine de sel
de Dürrnberg, Hallein.
Idem.
27g Sac à dos pour le
transport du sel, mine
de Hallstatt.
Naturistorisches
Museum, Vienne.
27d Torche pour
éclairer les galeries de
mine, Hallstatt
(Autriche).
Naturhistorisches
Museum, Vienne.

CHAPITRE II

28 Banquette de la
tombe princière de
Hochdorf, détail.
Württembergisches
Landesmuseum,
Stuttgart.
29 Le guerrier
d'Hirschlander, Stèle
anthropomorphe du
tumulus, Bade-
Wurtemberg
(Allemagne) VIe s. av.
J.-C.
Württembergisches
Landesmuseum,
Stuttgart.
30 La citadelle de
Hohenasperg (Bade-
Wurtemberg).
30/31 Carte des
principaux sites
celtiques au VIe s. av.

J.-C. Dessin de F. Place
31 Amphorette en
terre cuite trouvée à
Mercey (Hte-Saône).
MAN, St-Germain-en-
Laye.
32 Hydrie en bronze,
Grächwill (Berne).
Historisches Museum,
Berne.
33 hg Plan de la ville
de la Heuneburg, dessin
de Wolfgang Kimmig.
33 hd Soubassements
d'un mur en briques
crues de la Heuneburg
(Bade-Wurtemberg).
33b Relevé d'un
positif de la tête de
Silène, décor d'attache
d'œnochoé trouvée à la
Heuneburg.
34/35 Reconstitution
d'un char funéraire.
Prähistorische
Staatssamlung, Munich.
35h Fouilles du
tumulus de Kaltbrunn
J. Mosbrugger huile sur
toile, 1864.
Rosgartenmuseum,
Constance.
35b Plan d'un tumulus
de l'âge de fer.
36/37 Banquette de
Hochdorf (Allemagne)
Naturhistorisches
Museum, Vienne.
36m Décor de feuilles
d'or estampées des
chaussures du prince
de Hochdorf.
Württembergisches
Landesmuseum,
Stuttgart.
36b Crâne du prince
de Hochdorf, tombe
centrale, Hochdorf.
Württembergisches
Landesmuseum,
Stuttgart.
37b Banquette de
Hochdorf, détail d'un
pied en bronze orné de
corail, VIe s. av. J.-C.

38h Corne à boire en
fer et en or, princière
de Hochdorf, VIe s. av.
J.-C. Württembergisches
Landesmuseum,
Stuttgart.
39n Tombe et son
mobilier, Hochdorf,
dessin.
39b Haut du chaudron
en bronze, avec 3 lions
et 3 anses, avec des
restes d'hydromel,
tombe de Hochdorf,
VIe s. av. J.-C.
Württembergisches
Landesmuseum,
Stuttgart
40h Gourde à quatre
pieds provenant de
Dürrnberg, Hallein
(Autriche), Ve s. av. J.-C.
Keltenmuseum, Hallein.
40m Œnochoé du lac
de Côme. Museo civico
archeologico, Giovio.
40 bg Bracelets et
têtes d'épingles en or.
Württembergisches
Landesmuseum,
Stuttgart.
40bd Perle et chaînette
du tumulus D'Ins
(Berne) Historisches
Museum, Berne.
41h Pendentif en or du
tumulus de Jegenstorf.
Historisches Museum,
Berne.
41b Torque en or,
tumulus d'Uttendorf
(Autriche), VIe s. av. J.-C.
Oberösterreichisches
Landesmuseum, Linz.
42h Reconstitution de
la tête de la dame de
Vix. Musée de
Châtillon-sur-Seine.
42b Cratère de Vix et
coupe attique, tombe
de Vix (Côte-d'Or), fin
du VIe s. av. J.-C.
Musée de Châtillon-
sur-Seine.
43h Torque en or de la

CHAPITRE IV

INDEX

CRÉDITS PHOTOGRAPHIQUES

Staatliche Museum Preußischer Kulturbesitz, Berlin 54h, 54b, 64; Archiv für Kunst und Geschichte, Berlin 4e de couv., 27g, 46b, 48/49, 48b, 49b, 92b, 116/117; Artephot/Faillet, Paris 11b; Bernard Lambot 100h; Bibliothèque nationale, Paris 87h, 154; Bridgeman, Londres 120, 123b; British Museum, Londres 58, 94, 95; Camille Julian/CNRS, Aix-en-Provence 109b; Centre archéologique de Compiègne/Patrice Mériel 106; Centre de recherche archéologique, Université d'Amiens/J.-L. Cadoux 107b; Claus Hansmann 34/35, 47, 112; CNRS, Aix-en-Provence 81; D.R. 14h, 30, 33hd, 84, 87b, 88h, 122, 124h, 126h, 126b, 149; Dagli Orti, Paris 4, 40m, 42b, 43h, 43b, 101, 103; Dorka 156, 157; E. Lessing/ Magnum 2/3, 15h, 15b, 18d, 19h, 20h, 20b, 22, 24/25, 26b, 27d, 40h, 40bg, 40bd, 41b, 45h, 46h, 52/53, 60hg, 62, 69b, 110/111; Editions Fabbri-Bompiani, Milan 26m, 50, 59h, 60b, 63h, 63b, 65b, 68/69, 70h, 74d, 95d, 99h,100b, 105b, 109h, 147; Flinders University of South Africa, Adelaïde 58; Gamma/E. Brissaud, Paris 1ere de couv., 6/7, 8, 9, 70b, 80, 82b, 90/91, 96/97, 99b, 102, 108, 114/115, 134, 137, 162h, 162b; Gilbert Kaenel - Ph. Curdy 83b; Giraudon, Paris 73, 88/89b, 123h, 123b; Historisches Museum, Bâle 97b; Historisches Museum, Berne 32, 98, 115; Historisches Museum der Pfalz, Speyer 55; J.-L. Charmet, Paris 80/81; J.-P. Mohen 42h; J. Dieuzaide 1, 74g, 163b; Karbine/Tapabor, Paris 119; Kelten Museum, Hallein 51, 53; Landesdenkmalamt, Bade-Wurtemberg 16h, 28, 38h, 60hd, 104b, dos; Landesmuseum Joanneum, Graz 46/47; Magyar Nemzéti Mezeum, Budapest 72h; MAN, St-Germain-en-Laye 16m, 17h, 18g, 21, 23, 26h, 36b, 44, 52, 53, 56h, 56b, 57b, 61b, 61b, 71h, 76d, 84, 96; Mary Evans Picture Library/Explorer, Paris 93; Michel Comode 66; Musée Bargour, Clermont-Ferrand 86g; Musée d'Alésia 164, 167; Musée des Beaux-Arts, Carcassonne 78; musée des Beaux-Arts/Gilbert Mangin, Nancy 65h; Musée des Beaux-Arts/J+M, La Rochelle 67; Musée des Beaux-Arts/Ph. Kempf, Mulhouse 82h, 89h; Musée des Jacobins/Alain le Nouail, Morlaix 77g; Museo archeologico nazionale, Parme 148; Museu nacional de Arqueologia e Ethnologia, Lisbonne 76g; Muzeul National de Istori, Bucarest 68; National Museum of Ireland, Dublin 110b, 159; Naturhistorisches Museum, Vienne 13; Nouveau Musée, Saint-Brieuc 121; Prähistorischen Staatssammlung, Münich 59b; R. Agache 107; Rapho/Geister 124b; Rheinisches Landesmuseum, Bonn 61; RMN, Paris 12, 16/17, 31, 57h, 72b, 79, 86d, 97m, 113,127, 151; Roger-Viollet, Paris 130, 138, 140/141, 144, 158; Römisch-Germanische Kommission des Deutschers Archäologischen Institut, Francfort 112; Rosgartenmuseum, Constance 35h; Scala 14b, 75; Suzanne Bosman, Londres 95g; Tallandier, Paris 104, 143, 150, 160, 163h; Württembergisches Landesmuseum, Stuttgart 29, 36m, 39b.

REMERCIEMENTS

L'auteur remercie monsieur Michel Comode et le Docteur Jörg Biel, ainsi que la direction du Württembergisches Museum de Stuttgart. Les Editions Gallimard remercient les Editions Fabbri-Bompiani de Milan.

COLLABORATEURS EXTÉRIEURS

Chantal Hanoteau a réuni l'iconographie de cet ouvrage; Vincent Lever en a réalisé la maquette; François Place a dessiné les cartes des pages 31 et 85; et Odile Zimmermann a assuré le suivi rédactionnel et la coordination.

Table des matières